新 潮 文 庫

押入れのちよ

荻 原 浩 著

新 潮 社 版

8593

目次

押入れのちよ

お母さまのロシアのスープ

丘の上にニオイスミレの花が咲きました。長い長い冬がようやく終わったのです。

わたしとソーニャは、まだ雪が残る裏庭のナナカマドの木の下に座っています。飽きっぽいソーニャが、すぐに切れてしまうつる草のあやとりに退屈してしまって、いまは風の匂いを嗅《か》いでいました。

「スミレの匂いはひさしぶりだね」ソーニャがわたしに向かって言います。「紫色の匂いがするよ」

ソーニャは鼻がききます。匂いにはみんな色があるんだと言います。夏の風が運んでくる湖の匂いは薄緑色。ペチカにたきぎをくべた時の匂いは山吹色。わたしも鼻をひくひく動かしてみました。色まではわからないけれど、ソーニャの言うとおり、ほほをふんわりとなぜていく風には冬とは違う匂いがします。

「ほんとだ。スミレの匂いがする」

「違うよ、いまの風のは、荷馬車のわらの匂い」

どこが違うんだろう。わたしにはよくわかりません。

風の匂いかぎは、わたしたちのお気に入りの遊びのひとつです。家《ダーチヤ》の庭も遠くの丘も雪で真っ白に染まってしまう冬の間はもちろん、夏でもわたしたちはめったに家から出ることがありませんから、いつもは窓辺で頭を並べて風に鼻を突っこみ、森の芽吹きや、色とりどりの花が咲く草原や、ぴんと氷が張りつめた山の中の湖を想像するのです。どれも本の中でしか見たことがない世界です。だから、こうしてたまに庭に出ると、ソーニャとわたしは生まれたばかりの子鹿みたいに目をきょろきょろさせ、耳をすまし、鼻をひくつかせます。

家の表戸から物音がしました。蝶《ちょう》つがいがきしむ音です。わたしは音に気がつかないで、鼻の穴をふくらませているソーニャの耳をひっぱりました。

「いけない。マァさんが出てくる」

わたしはソーニャの耳をつまんだまま裏庭に積み上げられた薪《まき》の山の後ろに隠れました。

マァさんをけっして見てはいけない。お母さまにはそう言われています。だからソーニャとわたしは薪に背中をあずけて、じっと息をひそめていました。

戸が開き、根雪がとけて柔らかくなった土をふみしめる足音がします。
「出てきたよ」
わたしがそう言うと、ソーニャが猫みたいに細めた目をぱちぱちさせました。
耳はわたしのほうがいいのです。ソーニャとわたしはそっくり同じ顔をしています
が、違うのは、そこ。ソーニャときたら、山鳥の鳴き声と誰かの笑い声の区別もつか
ないんですから。森で誰かが笑っているよ。いきなりそんなことを言って、わたしを
あきれさせます。だって、この森にはわたしたち以外には誰も住んでいないのです。
ときどき訪ねてくる人もマァさんだけ。
「ねえ、ターニャ、こっそりのぞいてみようよ」
ソーニャが薪の上に首を伸ばして、表戸のほうをのぞこうとします。わたしはちょ
っと怖い顔をしてみせて、首を横に振りました。同じ日に生まれたといっても、いち
おうわたしがお姉さんです。わたしがだめと言えば、ソーニャも勝手なことはできな
い。
マァさんの荷馬車の馬が、けたたましくいななきました。
「ねえ、馬だけならいいじゃない。馬を見ようよ。こないだみたいに」
マァさんが荷馬車をひいてここへ来るのは、夏でもせいぜいひと月に一度。雪で森

の道が埋まってしまう頃には姿を見せませんから、こないだといってももうずいぶん前です。いつも表戸の前に荷物だけ置いて帰っていくのです。マァさんをお母さまが家にあげるのは、今日が初めてでした。

マァさんが来る前にわたしたちが物置小屋へ行くことになりました。「ぜったいにマァさんを見ちゃだめよ。きっとよくないことが起きるわ」お母さまはいつものようにそう言って、わたしたちにたっぷり厚着をさせました。

なんにしても、ナナカマドが葉を落として丸裸になっている季節に、お母さまから外へ出ることを許してもらえたのは初めてでしたから、わたしもソーニャもうれしくて、うれしくて、マァさんが家の中へ入っていく足音を聞いたあと、こっそり小屋を出てみたのです。

「ねぇねぇ、ちょっとだけ」

ぶひひひひ。馬のいななき声を口まねして、左ぎっちょのソーニャが左のひとさし指でわたしのほほをつつきます。わたしは右のひとさし指をソーニャの鼻先につきつけました。ちっちっちっ。お母さまがわたしたちのいたずらを注意する時の声を出そうとしたのですが、まだ九歳のわたしには、うまく舌が鳴らせません。そのかわりに言ってしまいました。

「ちょっ、ちょっ、ちょっとだけ」

わたしとソーニャは馬のいななきのまねをしながら、そうっと薪の上に首を伸ばしました。

「わぁ、馬だ」

「おおきいねえ」

「木馬とは大ちがいだ」

「鼻から息を吐いてるよ」

「すごいすごい」

わたしたちはすぐにささやき合うのをやめました。馬に近づいていく人影が見えたからです。

マァさんです。小さな人影でした。お母さまより小さくて、そのかわり肩幅ばかりやけに広い。厚い外套《がいとう》で体がまんまるくふくらんだ様子は雪だるまのよう。

「なぁんだ、前とちっとも変わらない」ソーニャががっかりした声を出しました。

「そりゃあ、そうよ」そう言いながら、わたしも少しがっかりしていました。何度見ても、マァさんはマァさんです。馬みたいにものすごい息も吐かないし。

お母さまには内緒ですが、わたしとソーニャがマァさんを見るのは初めてではありません。マァさんが来る時にはカーテンを閉めきった部屋から出てはいけないのですが、わたしたちの部屋の古いカーテンにはずいぶん前からやぶれ目ができているのです。お母さまには、部屋を出てはいけないとは言われていても、カーテンのやぶれ目から窓の外をのぞくなとは言われてませんもの。

最初は、珍しくて驚いて、わたしとソーニャは新しいやぶれ目をつくってしまいそうになるぐらいカーテンを握りしめたものです。なにしろわたしたちがお母さま以外の人を近くで見るのは生まれて初めてでした。しかもマァさんは、わたしやソーニャやお母さまとは少し見かけが違っているのです。髪は炭のように黒く、肌の色はパンケーキの薄く焼けた皮のよう。

いつかお母さまが教えてくれました。

「マァさんは中国人なの。お父さまが生きてらした時に、わたしたちのために雇ってくれたのよ」

わたしたちは中国の森で暮らしています。マァさんはふもとの村に住んでいる人だそうで、わたしたちの家に野菜や果物や卵、小麦粉や油やろうそく、そのほか暮らしに使ういろいろな物を届けてくれるのです。

わたしたちは学校へは行っていませんが、お母さまからいろいろなことを教わりましたし、家にあるありったけの本も読んでいますから、この世界がたくさんの国に分かれていることや、この森のふもとが中国という国であることや、裏庭から見える丘を越えたはるか先にはシベリアがあり、そのもっとずっとずっと先にお母さまの生まれた国があることを知っています。

　マァさんがいきなり振り返りました。わたしたちはあわてて首をひっこめます。何か叫んでいます。見つかってしまったと思って、わたしとソーニャは体をちぢめ、おたがいの顔を見合わせましたが、マァさんのたどたどしいロシア語は、家の中のお母さまに向けられたもののようでした。

「いい商売になるよ、あんた。もうすぐソビエトの兵隊がいなくなる。考えといたほうがいいよ」

　わたしたちは見合わせた顔をかしげました。おたがいの方向にかしげてしまったから、頭がごっつんこしてしまいました。

「どういう意味？」

「わからない。発音、おかしかったし」

「ソビエトってなんだっけ？」わたしが聞くと、ソーニャが答えます。

「たしか、お母さまが嫌いな国の名前だよ」

いななきました。

鞭《むち》を鳴らす音がして、マァさんの荷車をひく馬が、木枯らしみたいな哀しげな声で
少し前までマァさんの荷馬車は、わたしとソーニャの大きな楽しみでした。マァさんがしぼりたての牛乳や、焼きたてのライ麦パンや、つやつやのトマトや、しおれていないキャベツや、時にはお菓子ももってきてくれるからです。姿を見たことがなかった頃は、サンタクロースのような白い髭《ひげ》のおじいさんを想像していました。

いまではプレゼントをしてくれているわけではないことを知っています。カーテンのやぶれ目から初めて見たときのマァさんは、お母さまからお金を受け取っていました。いつの頃からか、お金ではなく、銀の食器や、瑪瑙《めのう》細工のリネン入れや、お母さまがお祖母《ばあ》さまからゆずられたという夜会服や、そのほかいろいろなものを、わたしたちの家から持っていくようになりました。

マァさんが来るたびに家の中から大切なものが少しずつ消えていく。

だからいまのわたしはマァさんがあまり好きではありません。ソーニャも同じです。ソーニャが薪の山から顔を出して、巣を見張るキジバトみたいに目を光らせました。

「今日は何も持っていかなかったみたいだね」

並んで頭を出して、遠ざかっていく荷馬車を見ていたわたしもキジバトの目をして

いたと思います。

「たぶん。荷馬車は空に見えるけど」

もうわたしたちの家には、脚が一本こわれたテーブルとか、ふちが欠けた壺とか、やぶれ目のあるカーテンとか、そんなものしか残っていません。マァさんはあきらめたのでしょう。今日、お母さまはわたしたちにこう言いました。「ちょっとお話があるから、マァさんに家の中へ入ってもらいます。マァさんがいる間は、けっして家に近づかないでね」

きっとお母さまがマァさんにうまく話したのだと思います。もうこの家には、あなたの欲しいものは何もありませんよ、と。わたしたちのしつこいおねだりをたしなめる時みたいに。

馬のひづめの音が森の向こうへ遠ざかっていきます。早く物置小屋に戻らなくては。もうすぐわたしたちを呼ぶお母さまの声がするはずです。わたしとソーニャは地面に落ちた木の実を拾いにいくリスみたいにあわてて、物置小屋まで駆け戻りました。

扉を閉めて、そろって大きく息を吐き出しました。

「見つからなかったよね」

「うん、だいじょうぶ」

物置小屋の藁《わら》を敷いた床に座りこんで、わたしはずり落ちてしまったえり巻きを首にかけ直します。ソーニャのも直してやりました。そうしてお母さまの呼ぶ声を待ちました。

お母さまはわたしとソーニャのことを、大切に大切に育ててくれています。百枚の敷ぶとんの上で眠っても、ふとんのいちばん下にはさまった小さな豆に気づいてしまうお姫さまみたいに。ほかの子どもたちのことは知りませんが、危ないから家の外へ出てはいけない。お医者さまにかかるような病気や怪我をしてはいけない。母親にそう言われる子どもたちなど、本の中には出てきませんもの。おかげでわたしたちはいままでにかすり傷ひとつしたことはなく、魔女が登場する絵本によく出てくる、血というものも見たことがありません。

わたしたちは海賊が洞窟《どうくつ》の宝を探すように物置小屋を探検しましたが、すぐに飽きてしまいました。ぐるぐると何回歩いてみても、狭い小屋には小麦粉の袋と、薪にするための丸太と、それを割るための斧しかなかったから。だから藁の上に座って、さっきと同じようにあやとりをして遊ぶことにしました。

小屋のひとつしかない窓の外が少しずつインクを流したような色合いになってきました。いつもならそろそろ夕食の時間です。なんだか心配になってきました。

「どうしたんだろう」ソーニャがわたしに聞いてきます。

「どうしたんだろう」わたしにだってわからない。

お母さまが呼びに来る前に、家へ戻ったほうがいいかどうか、ソーニャと相談していた時です。ソーニャはわたしの話をろくに聞かず、ぷくりと鼻の穴をひろげて、ひくひく動かしはじめました。

「あ、いい匂いがしてきた」

「なんの匂い？」

洗いたてのシーツの匂いをかぐ猫みたいな顔でソーニャが答えます。

「えーと、ニンニク……バター……キャベツ……ヨーグルトチーズ……それから、ビーツにトマト……」

「わぁお、わぁおわお」わたしは歓声をあげました。

「トマトはたぶんケチャップだよ」

「わぁお、わぁお」

生トマトじゃなくたってかまわない。だって、今夜は――。ソーニャとわたしは同時に声をあげました。

「今夜は、ロシアのスープだ」

お母さまのロシアのスープは、料理上手のお母さまのいちばんの得意料理。春の熊みたいにいつもお腹をすかしているわたしたちのいちばんのお気に入り料理。冬の間、お粥《カーシャ》とじゃがいもとタマネギと硬いパンばかり食べていたわたしたちには、ひさしぶりのごちそうです。

「バニラの匂いもする。クリーチかな」

「わぁお、わぁおわぉ、わぁお」

耳をすましてみました。ことことスープが煮える音が聞こえるのではないかと思って。鍋の立てる音は耳に届きませんでしたが、そのかわりにわたしたちを呼ぶ声が聞こえてきました。

「ターニャ、ソーニャ、ごはんですよ」

わたしたちは藁の上から跳びあがって、扉へ駆け出しました。

かまどの上で鍋がつぶやき声を立てて、家の中をいい匂いで満たしています。

わたしとソーニャが家に戻って最初にしたことは、何かなくなっているものはないか、心配性のお婆さんみたいに家じゅうを調べることでした。まさかマァさんがわたしたちの人形や、三本脚のテーブルを欲しがるとは思えないけれど。

うん、だいじょうぶ。人形たちはもとのとおり、ベッドの二つの枕の脇にきちんと並んでいました。テーブルの脚は三本ちゃんと揃っています。変わったことはありません。

変わっていたことと言えば、お母さまがちょっと悲しそうな顔をしていたことだけです。目のふちが赤く染まって、晴れた冬空の色の瞳に、雲がかかっているように見えました。泣いていたのかもしれません。

マァさんになにかひどいことを言われたのでしょうか。初めてカーテンのやぶれ目からのぞいた時のマァさんは、お金を差し出すお母さまへ、地面に埋まるかと思うほど頭を下げていました。まるでお金の家来みたいに。でも、この頃は王様のように威張りちらしているのが、小さなのぞき穴からだって見てとれました。

お母さまは、何もなくなっていないのに、何かをなくしたような顔をしていました。いつもきちんと結っている髪が、ほつれて顔の前にたれていることにも気づいていないみたいです。

お母さまの髪は、真夏の陽《ひ》ざしのような明るい金色です。わたしとソーニャはキジバトみたいな濃い茶色。目の色も同じです。お祖父《じい》さま似なのよ、とお母さまは言いますが、どうやらお父さまに似てしまったらしいのです。お父さまも金色の髪だとよかったのに。

わたしがお母さまの瞳をのぞきこむと、お母さまはよろい戸を下ろすようにまぶたを閉じ、両手を背中にまわして、首を振りました。わたしたちにお小言を言う時のお決まりのしぐさです。

「こらこら、お行儀の悪い。まず手をよぉく洗ってらっしゃい。足もよ」

わたしとソーニャは背筋をしゃきりと伸ばします。元気よく返事をして、水桶に駆け出しました。

戻った時には、折れた脚へ火かき棒の添え木をあててあるテーブルに、お皿が三つ並んでいました。

花瓶には、ネコヤナギの枝が二本。お母さまは外へ出られないわたしたちのために、いつもテーブルに季節の草花を飾ってくれます。といってもお母さま自身、家の外へ出ることはめったにありません。ネコヤナギは、庭の小さな畑のわきに植えられた木です。木の下には、煙突から落ちて死んでしまった猫のオーリャのお墓があります。

わたしたちのコップにはたっぷりの牛乳。お母さまのコップはキイチゴのジャムをスプーン半分だけ混ぜた水。ソーニャの鼻はあてにならない。クリーチはありませんでした。

最後にクリーチを食べたのは、わたしたちが七歳になった年の復活祭の日だと思います。雪山みたいに粉砂糖がたっぷりのった、バケツみたいに大きなクリーチ。思い出すたびにほっぺたがふんわり熱くなる、あのとろけるような甘い味を、わたしの舌が忘れて、思い出すこともできなくなってしまうのが心配です。意地っぱりのソーニャを睨《にら》むと、とぼけて顔をそむけてしまいました。ソーニャに本気でそっぽを向かれたら、わたしは目を合わすこともできません。

「じゃあ、いただきましょう」

そう言った時のお母さまは、もうふだんの優しい顔に戻っていました。髪もきちんと結い直されています。

神様へのお祈りが終われば、さぁ、いよいよ夕ごはんです。わくわくしてスプーンを握る手が震えてしまいそう。

お母さまの特製スープは、きれいな色をしています。ビーツとトマトが染める赤。丘の上の空にひろがる夕焼けの色です。

ニンニクとパセリの匂いが、つんと鼻を刺します。

ヨーグルトチーズとトマトとちょっと酸っぱいビーツの味が、ほっぺたをきゅっとすぼめさせます。

キャベツのやわらかいこと。塩漬けじゃないキャベツは何ヵ月ぶりでしょう。すっかり食べあきたジャガイモも、ほくほくとやわらかくて、別の食べものみたい。

「おいしい」わたしは右手のスプーンを差し上げます。

「おいしい」ソーニャが左手のスプーンでお皿をたたきます。

お母さまはソーニャのお行儀をしかりながら、ようやくほほえんでくれました。

「肉も、ハムやソーセージもないから、モスクワ風とはいかないけれど」

お母さまはいつもわたしたちにそう言い、「ごめんね」とつけ加えます。だけど、お肉やハムやソーセージなんかなくたって、すごくおいしい。第一、どうせわたしはお肉が入ったスープの味なんてすっかり忘れてしまっています。最後に魚の燻製《くんせい》を食べたのだって、いつのことだったやら。まだ恐竜が生きていた頃かもしれない。

お母さまが生まれたロシアは、お母さまが小さい頃に、ソビエトという国に変わってしまいました。それまで大地主だったお祖父さまは、地主だった罪で、新しい国の兵隊につかまって、涙も凍るといわれるシベリアへ連れていかれ、そこから家族でこの中国まで逃げてきたのだそうです。

スープをゆっくりゆっくり、ひとくちひとくち、減らさないように食べていたのですが、どうやっても、やっぱり減ってしまう。いつのまにか窓の外に顔を出した月が、わたしたちの食卓を照らしました。そうすると、聖画像《イコン》を飾った壁も、その下の棚も、舞台の照明が当たるように明るくなりました。

劇場の舞台を見たことはありませんが、話はたくさん聞きました。お母さまは若い頃、ここから何百キロも離れたハルビンという町で、舞台に立ち、歌を歌っていたのです。

棚の上にはお母さまの家族の写真が飾ってあります。よく太って濃い色のひげを生やした男の人が、わたしたちのお祖父さま。お母さまに似た明るい髪色の、優しそうな丸顔の人が、お祖母さま。小公子や小公女の本のさし絵に出てくるような服を着て立っているのが、お母さまの兄姉《きょうだい》。ふたりともシベリアで亡くなったそうです。お祖父さまとお祖母さまも、わたしたちが生まれるずっと前に亡くなりました。

いちばん手前の写真立てがうつぶせになっていました。朝見た時には、倒れていなかったのに。そこにはお父さまの写真があります。わたしはそれに気づいて、スプーンの先でヨーグルトチーズをちびちびすくってなめているソーニャのほほをつつきました。椅子を降りて、ソーニャと直しにいこうとしたら、背中ごしにお母さまのため息が聞こえました。

お父さまの写真は一枚だけ。お母さまと二人で写っている小さな写真です。

亡くなったのは去年の夏だそうですが、わたしたちはお父さまを写真の中でしか知りません。わたしたちが生まれてすぐ、お母さまだけがこの森の家に引っ越してきたのです。

「仮住まい《ダーチャ》」この家をお母さまはそう呼びます。もう昔の家はとうになくなっていて、他に行くところがないことをわたしもソーニャも知っているけれど、わたしたちもそう呼ぶことにしています。

「あなたたちが木馬で遊んでいた頃は、ときどき会いにきてくださったのよ」

お母さまはそう言いますが、わたしたちはまるで覚えていない。小さな子どもしか乗れない木馬は、とっくにペチカのたきぎになってしまっています。

伏せてある写真立てを戻し、ソーニャと交替で息を吹きかけて、ほこりを払いました。

写真の中のお父さまは、椅子に座ったお母さまの隣に立っています。やせて小さな人です。お母さまが座っているのは、お母さまのほうが背が高かったからだと思います。

小さな体には不似合いの立派なひげを生やしています。平たい顔に丸い眼鏡。髪もひげも真っ黒。マァさんに似ているから、中国人のようですが、お母さまはこう言います。

「お父さまは、日本人です」

わたしたちはハルビンで生まれました。その頃は、町に日本の軍隊が来ていて、たくさんの日本人が住んでいたそうです。

お母さまはそこでお父さまと知り合ったそうですが、お父さまの話はあまりしてくれません。

「お父さまも軍隊の人だったの」

わたしかソーニャがそう聞いても、こう答えるだけです。

「お医者さまです。科学者でもあったの。軍にたのまれて特別な研究をしていたんです」

マァさんの荷馬車が来たあとの何日かの間は、食卓に牛乳やキャベツのサラダや、くるみ入りのスィールニキが登場してわたしたちを喜ばせます。でも、それもキャベツの葉がしおれてしまうまでの話。お母さまは食べものを少しでも長持ちさせるために、あらゆるものを瓶づめにします。牛乳や野菜や果物が新鮮なうちに、バターやチーズ、塩漬けや酢漬けをつくるのです。

今日はその「瓶づめの日」です。お母さまは薪わりも畑づくりも洗濯もお休みして、材料をきざんだり、煮たり、朝から大いそがし。三本脚のテーブルの上に、わたしたちの家にある鍋が勢ぞろい。大きさもかたちもいろいろの瓶がずらりと並んで、窓から射《さ》す光にきらきら輝いています。

瓶を光らせる窓からの陽《ひ》ざしが、斜めにかたむきはじめた頃、お母さまはチーズづくりにとりかかりました。

鍋に牛乳とヨーグルトを入れてようく混ぜ、弱火でことこと煮ると、ふわふわと上ずみが浮かんでくる。それをそっとすくいとって、木綿の布で包み、重しをのせて、水けを切る——。

家の中に牛乳が煮える甘い匂いがただよいます。お母さまは思わず見とれてしまう手ぎわのよさで、ひとつ目の鍋の上ずみをすくい取っていく。わたしたちはそんなお母さまを見ているのが大好きです。

お母さまが振り向き、背中に両手をまわして、首を振りました。

「見てばかりいないで、手伝いなさい」

「は〜い」

「は〜い」

わたしとソーニャはもうひとつの鍋で牛乳とヨーグルトをまぜる係。ほんとうは絵本を持って木綿の布の上に乗る、重しの係になりたかったのだけれど。

わたしは酢漬けキャベツをつまみ食いしながら鍋をかきまわし、ソーニャはヨーグルトをこっそりなめながら鍋を押さえます。お母さまは塩漬けにするにんじんを刻みはじめました。

今日のお母さまは、朝からなんだかそわそわしています。窓の外ばかり見ているから、いつもはぬい針みたいに細く刻むにんじんがちょっと太め。

わたしも首を伸ばして窓の向こうをのぞいてみました。もちろんソーニャものぞいています。台所の窓からは、レースのカーテン越しに大きなもみの木が見えます。幹の蔭に隠れるようにわたしたちの家の小さな門があり、その向こうに森へ続く道が延びています。先週まで真っ白だった道は、すっかり雪が溶けていました。

ふたつ目の鍋に上ずみがふつふつとわき出してきた頃、遠くで不思議な音が聞こえてきました。

いままで聞いたこともない音でした。まるで地面が不機嫌に唸《うな》っているよう。

「ねぇ、ソーニャ、なんだか音がしない？　ぶるん、ぶるんって」

「森で誰かがバラライカを弾いてるんじゃない？」

だとしたら、それは少しずつ近づいています。

ソーニャが鼻の頭にヨーグルトをつけたまま小鼻をふくらませました。

「嫌な匂いがするよ。ランプの油の匂いみたいだけど、もっと臭い。黒い黒い、煤《すす》より黒い匂いだ」

テーブルの前にいたお母さまが、台所へ戻ってきました。窓辺にかけ寄って、レースのカーテンを上げ、外に目をこらします。わたしとソーニャも踏み台からおりて、窓の前で背伸びをしました。

森が唸り声をあげています。空気まで震わすような低くて重い音が、どんどん近くなっています。

やがて道の向こうに妙なものが見えてきました。マァさんの荷馬車よりずっと大きな灰色のかたまり。目玉が二つついています。ぶぉうぶぉうと大きな獣《けもの》の鳴き声みたいな音を立てて、お尻から煙をふきあげています。

「くるまだ」

ソーニャが小さく叫びました。

「くるま?」

「うん、自動車だよ」

同じ本棚の前で育ったのに、読み返す本が違うからでしょうか、ソーニャはわたしの知らないことをいろいろ知っています。

近づいてきた自動車が家の前に停まりました。わたしの目は水晶玉みたいにまんまるになりました。名前は知っていても見るのが初めてなのはいっしょ。ソーニャの目も水晶玉です。

お母さまが手にしていた包丁を置いて、ガラス瓶のような声を出しました。

「ターニャ、ソーニャ、物置小屋へお行きなさい」

春になったといっても、外にはまだ冷たい風が吹いています。お母さまがわたしたちの外套とえり巻きを取りにいこうとした時、門が開く音がしました。

レースのカーテンの向こうに、わたしたちの家に近づいてくる人影が見えます。

マァさんではありません。もっとずっと大きな男の人です。車と同じ深緑色の外套、毛皮の帽子。真っ赤な顔。わたしはマァさんの言葉を思い出しました。ソビエトの兵隊。

お母さまがわたしたちのスカートのすそをひっぱって窓辺からひきはがした時には、兵隊は手の甲の針みたいな毛が見えるぐらいに近づいていました。お母さまは物置小屋の方角と、家の中を見くらべてから、わたしたちへ振り向きました。

「物置小屋じゃなくていいわ。自分たちの部屋へお行きなさい。ぜったいに部屋から出ちゃだめよ」

いままでに見たこともないきびしい顔で、わたしたちの前に一本ずつ指をつき出しました。

「ベッドの下にもぐって、耳をふさいでいなさい。どんな声や音も聞こえないように」

わたしはこくりとうなずきました。ソーニャがお母さまに聞いています。

「匂いは嗅《か》いじゃだめ?」

「だめ」

わたしたちが部屋に入るのとほぼいっしょに、家の扉が開く音がしました。あわてて耳せんになるものを探していたわたしの耳に、ソビエトの兵隊の声が聞こえてしまいました。

「オーチン、ブリヤートナ」

ロシア語でした。どんな荒々しい言葉を口にするのかと思ったら、ていねいな口ぶりで、はじめまして、とあいさつしています。でも、わたしたちが習ったロシア語とはちょっと違います。お母さまなら、三ヵ所ぐらい発音の間違いをただすことでしょう。

お母さまの声もしました。はっきり聞き取れない静かな声でした。お母さまのことが心配でたまらなかったのですが、その声はマァさんと話す時よりも優しげに聞こえました。発音の間違いをただしたわけでも、「出て行きなさい」と言ったわけでもなさそうです。

やっと耳せんを見つけました。ソーニャとおはじき遊びに使っているカシワの実です。去年の秋、ひさしぶりに庭に出た時、記念にとっておいたもの。わたしたちはそれぞれ二個ずつカシワの実を持って、ベッドの下にもぐりこみました。耳にカシワをつめる寸前、またソビエトの兵隊の声が聞こえました。

「スコーリカ、ストーイト?」

発音は変だけれど、たぶん「値段はいくらですか」という意味です。カシワの実を耳につめたので、足音がはっきり聞こえたわけではありませんが、ソビエトの兵隊はものすごく大きな人でしたから、床の震動で家の中へ入ってきたことがわかりました。いまにも部屋のドアが開いて、あの熊みたいな体が入ってくるような気がして、わたしとソーニャは体を奥へ奥へと押しこんでいきました。

床のきしみが近づいてきて、わたしたちの部屋の手前でとまります。わたしとソーニャは手を握り合わせました。左手がぎゅっと握り返してきました。

部屋のドアは開きませんでした。きしみはお母さまの部屋のほうに向かっているようです。ソーニャがわたしにひそひそ話をしようとしますが、耳せんをしているので聞こえません。口のかたちで「何をしにきたんだろうね」と言っているのがわかりました。

ほんとうに何をしにきたんだろう。マァさんみたいに、家の中のものを持っていってしまうつもりでしょうか。お母さまの部屋には、小さな机と小さなたんすとベッドしかないのに。

お母さまの言いつけどおり、ベッドの下から動かないようにしていましたが、そのうちに耳が痛くなってきました。とんだ計算ちがいです。カシワの実は、わたしたちの耳には大きすぎました。しかもわたしはとがったほうを耳の内側につめてしまったから、動くたびに痛いのなんの。

ソーニャも顔をしかめています。わたしたちはよく同じ失敗をするのです。

耳せんをつめ直すために取りだした時です。お母さまの部屋から低い声がもれてきました。話し声というより、獣《けもの》のうめき声に聞こえました。わたしは耳せんを戻すのも忘れて、耳をそばだててしまいました。

突然、高く鋭い声。お母さまのものです。

わたしは手からカシワの実を落としてしまいました。ソーニャがわたしにほほを押しあててきます。わたしは髪をなぜてやりましたが、ほんとうは自分が髪をなぜて欲しいぐらいおびえていました。

「どうしよう」

「どうしよう」

二人で三回ずつ、同じ言葉をくり返してから、わたしはきっぱり言いました。

「たすけに行こう」

きっぱり言ったわりには、声が震えていました。ソーニャも震え声で答えます。

「たすけに行こう」

お母さまはわたしたちが外へ出てはいけない理由をこう言います。「あなたたちは病気なのだから」と。でも、たぶんそれは小さな時のこと。わたしたちはいまではすっかり元気です。行ってもいいと言われたら、裏庭の先の丘どころか、森の道をずっと行った先にあるハルビンや、山のはるか向こうのシベリアまで歩いていけそうに思えるほど。いまは、とりあえず部屋の外まで。ドアをそうっと開けて、抜け出しました。

とはいえ、九歳のわたしたちが、あんなに大きな兵隊とまともに闘って勝てるわけがありません。わたしはネバーランドの子どもたちとフック船長が闘う絵本を思い出していました。そう、武器が必要です。

わたしとソーニャの目は同時にテーブルに向きました。どうやら同じことを考えていたようです。折れた脚の添え木にしている火かき棒！

火かき棒を結んだひもをとくと、テーブルはぐらぐら揺れ、並んだ瓶が触れ合って、いまのわたしたちには交響楽団の演奏に思える音を立てました。ソーニャが瓶に向かって「しぃーっ」とささやいています。なんとかテーブルは三本の脚だけで立っていてくれました。

わたしは右手で火かき棒を握りました。思っていた以上にずしりと重い。左手を添えて、ソーニャが言いました。

「これなら、きっと、やっつけられるね」

「うん、きっと」

きっと、きっと、きっと。わたしたちは歌うようにつぶやき合い、火かき棒を洞窟探検のたいまつみたいにかかげ持って、そろそろとお母さまの部屋へ近づきました。

部屋から、マァさんが馬に鞭をあてた時のような音がしました。

またお母さまの声。今度は悲鳴に聞こえました。

わたしたちは片足立ちのまま、動けなくなってしまいました。

「だいじょうぶだよね、たぶん」

「うん、たぶん」

たぶん、たぶん、たぶん、たぶん。

お母さまの部屋の前に立ちます。大きく深呼吸しました。ソーニャも同じことをしたようです。あたたかい息でわたしのキジバト色の髪がふわりとゆれました。

蝶つがいがきしまないように、そうっとドアを開けます。目から上だけを出して中をのぞきました。ソーニャもわたしの下に頭を並べます。

最初に見えたのは、ベッドの下に落ちたお母さまのブラウスでした。それからソビエトの兵隊の靴。

目をあげると、大きな背中が見えました。兵隊の背中です。裸でした。片手にズボンから抜きとったベルトを持っています。

ベッドの上にうつぶせのお母さまの顔が見えました。

お母さまは泣いているようでした。苦しげに眉をひそめて、何か叫ぼうとしています。でもシーツを口にふくんでいるから声が出せません。

お母さまがわたしたちに気づきました。シーツに埋もれた顔をあげます。大きく見開いた目の中の冬空みたいな瞳が、青く深い穴に見えました。

兵隊が振り向きました。体中の血が冷たくなりました。ドアから半分出した頭を引っこめてしまいそうになったけれど、我慢しました。正直に言うと、体が動かなくなってしまったのです。

兵隊がわたしたちに向かって笑いかけ、何か言いました。発音の正しいロシア語だったとしても、半分も意味がわからない言葉。でも、顔つきを見ただけで、わたしたちが習っていないような下品な言葉だとわかります。

わたしとソーニャが子どもだと思って、甘く見ているに違いありません。心臓が口から飛び出そうになりましたが、ぐいっと火かき棒を握り直しました。そしてソーニャといっしょにドアの中へ一歩足をふみ入れました。

火かき棒を持って部屋に入ったわたしとソーニャを見て、ソビエトの兵隊の顔から下品な笑いが消えました。目が少しずつ見開かれていき、わたしたちに襲いかかってくるどころか、ゆっくり後ずさりをはじめます。

相手も自分たちをこわがっていることを知って、勇気が出ました。わたしたちはもう一歩、部屋に足をふみ出しました。でも、それ以上どうしたらいいのかわかりません。足の震えが背骨をつたって、指先まで揺らしています。こらえきれずに火かき棒を落としてしまいました。

兵隊はそれでも、じりじり後ずさりします。これ以上はないというほど目を丸くし、ぽっかり開いた口をぱくぱく動かしています。こだまみたいに後から声が出てきました。大きな体からは想像もつかないかん高い叫び声でした。

叫びながら部屋から逃げ出そうとします。その拍子につまずいて、うつぶせに倒れてしまいました。

兵隊の後ろには、いつの間にかお母さまが立っていました。手にはわたしたちが落としてしまった火かき棒を握っています。

「部屋に戻りなさい」

お母さまの声。

子リス並みのちっぽけな勇気はそこまででした。わたしたちは一目散で部屋へ逃げ帰りました。壁に背中を張りつけ、ひざの間に顔をうずめ、ソーニャと、ほほとほほをくっつけて、いっしょに泣きました。

閉め忘れたドアのすぐ向こうで、倒れた兵隊がわめき声をあげています。「神さま《ボーフ》」そんな言葉が聞こえましたが、動物みたいな声だったので、それが神さまへのお祈りなのか、神さまへの呪いの言葉なのかわかりません。恐ろしくて、恐ろしくて、もし目の前にカシワの実があったら、どんなに大きくて先がとがっていても、耳につめていたでしょう。目は固く固く閉じていました。

空気の切れる音を聞いた気がしました。それに続いてキャベツに包丁を入れた時の音。兵隊の声がしなくなりました。ああ、ボーフ、ボーフ、ボーフ。

大きな蛇が這うような音がしました。兵隊が腹這いになってお母さまの部屋を出ていく恐ろしい光景が目に浮かび、口から悲鳴がもれそうです。

どのくらいそうしていたでしょう。わたしたちを呼ぶ声がしました。おそるおそるお母さまの部屋の前へ行き、ドアから顔をのぞかせると、もう兵隊の姿はありませんでした。わたしとソーニャは片そでで涙をぬぐいながらくり返しました。

「ごめんなさい」

「ごめんなさい」

約束をやぶったわたしたちを見下ろすお母さまの顔は、怒っているようには見えません。泣いているようにも、笑っているようにも見えません。両腕を背中にまわしたお母さまは、月が照らすイコンの預言者みたいな白い顔で言いました。

「しばらく、物置小屋に行ってなさい。夕飯ができるまで。いいわね」

物置小屋の藁《わら》の上にしゃがんでいても、わたしたちの震えはとまりませんでした。あの兵隊が戻ってきて、またお母さまにひどいことをして、ベルトを振りまわしてここへも来るんじゃないか――そう思うと音が鳴りそうなほど背筋が震えます。

「だいじょうぶ、お母さまが追いはらったんだよ」

わたしより泣いていたくせに、ソーニャはいち早く泣きやんでいます。

「ほんとうにそう思う？」

「クリーチに誓って」

ソーニャの安心しきった顔を見ているうちに、わたしの百匹の弱気虫が二十五匹ぐらい逃げていきました。とはいえ、あやとりをするどころじゃありません。もちろん探検も。物置小屋はいつもの物置小屋です。中にあるのは、丸太と小麦粉の袋だけ。斧がなくなっていることだけが違っていました。

突然、ソーニャが言いました。

「匂いがするよ」

「夕ごはんの匂い？」

明るい声を出そうとしましたが、うまくいきませんでした。いつもならソーニャは材料のひとつひとつを嗅《か》ぎわけてわたしに教えてくれるのですが、今日ばかりは泣きすぎて、自慢の鼻がきかないみたいです。すんすん洟《はな》をすすりあげてから、首をかしげました。

「わからない。でも、ひどい匂いだ。なんの匂いだろう」

「何色？」

「赤。真っ赤っか」

物置小屋のたったひとつの小さな窓に近づいて、外をのぞいてみました。何か物音が聞こえるかもしれないと思って。でも、夜が近づいてきて、影ぼうしになりはじめているわたしたちのダーチャは、しんと静まり返っているだけでした。

「ターニャ、ソーニャ、ごはんですよ」

お母さまがわたしたちを呼んでいます。いつもと変わりのない声でした。

わたしたちは物置小屋を出て、自分の家の庭なのにどろぼうみたいな足どりで、そろりそろりと家へ戻りました。

門の前に停まっていた自動車がいつの間にか消えています。

白いペンキが塗られた木の扉が、今日はなんだか重い鉄の扉に見えます。わたしたちは、一、二の三で、ドアを開けることにしました。

「アディン、ドヴァー、トゥリー」

台所には、何時間か前と同じように、つくりかけのチーズが置かれています。テーブルのこわれた脚は、もとのとおり火かき棒の添え木が支えていました。テーブルの上にはたくさんのガラス瓶。かまどの前では、こちらに背中をむけてお母さまが忙しそうに手を動かしています。部屋にはいい匂いが立ちこめていました。

わたしはソーニャと顔を見合わせました。さっきあったことはぜんぶ夢だったのでしょうか。わたしの耳には生まれて初めて見た自動車の唸り声がまだ残っていて、ソビエトの兵隊の毛むくじゃらの背中も、頭の中に写し絵されたみたいにはっきり刻まれているのですが。もしかしたらわたしたちは午後からずっと物置小屋で居眠りをしてたのかもしれない。よくわからなくなってしまいました。

いい匂いは、かまどの上の鍋からでした。わたしたちの家にあるいちばん大きな銅鍋がぐつぐつ音を立てています。

「ごめんなさい」

「ごめんなさい」

わたしとソーニャは、お母さまの背中にあやまりました。また新しい涙がこぼれそうです。

お母さまがようやく振り向いてくれました。お小言を覚悟していたのですが、お母さまは、わたしたちが悪い夢にうなされて飛び起きた時みたいに、なんの心配もいらない、そんな顔でほほえんでくれました。

「さぁ、食べましょう」

テーブルの上の花瓶には、新しい花が飾られていました。ニオイスミレです。珍しくお母さまは、丘まで出かけたみたいです。

お母さまがテーブルにお皿を並べ、わたしたちのコップにヨーグルトをそそぎました。それから大きな銅鍋を運んできます。

わたしは、さっきのソビエトの兵隊が夢なんかじゃないことに気づきました。帽子かけに毛皮の帽子が残っていたのです。

お母さまは、わたしの目がどこを見ているかに気づいたようです。椅子からすっと立ち上がり、帽子かけから毛皮の帽子をすくいとってしまいました。お母さまの背中が言います。

「あらあら、ずいぶんあわてん坊ね。帽子を忘れていったのね」

それからわたしたちが聞いてもいないのに、教えてくれました。

「道に迷った軍人さんだったの。疲れていたみたいだから、私の部屋で休ませてあげたのよ。かわりにお礼をもらったわ」

「また来る？」

ソーニャがのどにじゃがいもをつめたような声で聞いています。

「さぁ、どうかしら」

もう来ないのかもしれません。だって、お母さまは帽子をペチカの火にくべてしまいましたから。

お母さまはお祖父さまの遺《のこ》した品々が並べてある戸棚からウォトカの瓶を取りだして、自分のコップにつぎました。お母さまがお酒を飲むなんて珍しい。たぶんオーリャが死んだ日の晩以来です。

お母さまがお皿にスープを取りわけてくれます。驚いたことに、今夜のメニューもロシアのスープです。

赤色の中に、ビーツとにんじんとじゃがいもとヨーグルトチーズ。塩漬けにしてしまったキャベツは入っていませんが、そのかわりに、なんと、お肉がたっぷり入っています。

またまた夢みたいです。手の甲をつねってみようと思ったぐらい。信じられないと言うように、ソーニャが用心深い年寄り猫みたいにくんくん鼻を鳴らしています。ソビエトの兵隊のお礼というのは、このお肉のことでしょうか。スプーンを握る前に、神さまにお祈り。お母さまはいつもよりずっと長くお祈りをしていました。

最初にスープをひと口。それからヨーグルトチーズを少しだけ。今夜こそ早く減らないようにうまく食べなくては。

あの兵隊の話はあまりしないほうがいい。なんとなくそんな気がしました。もう九歳です。木馬で遊ぶような小さな子どもではありませんから、わたしは黙っていることにしたのですが、ソーニャったら、まだまだ小さな子どもです。さっそくお母さまに質問をはじめてしまいました。

「さっき来たのって、自動車だよね」

お母さまが静かに答えます。

「ええ、そうね」

「動かすのって難しいの」

「運転のこと？　さぁ、どうかしら」

「お母さまはウンテンできるの？」

「ええ、その気になればね。その気になれば、私にだってたいていのことはできるわ」

お母さまが笑って言いました。ほんとうに笑ったわけではないことに、わたしは気づいています。お母さまの冬空の色の瞳には、厚い雲がかかっていました。

「お父さまは？　ウンテンできた？　さっきの自動車はどこへ——」

ソーニャの言葉をさえぎって、わたしはお姉さんらしく、違う話を持ち出しました。

「ねぇ、お父さまの話をして」

お父さまの話を聞こうと思ったのは、今日も写真立ての中で、お父さまが写ったものだけが伏せてあったからです。なぜか、いま聞いておかないと、お母さまが二度と話をしてくれない気がしたのです。お母さまは、いつもどおり困った顔をしてほほえむだけかもしれませんが。

「お父さまはどんなお医者さまだったの？」

意外にも、お母さまは、いつになくきっぱりした声で答えてくれました。

「日本の軍隊の命令で、薬の研究をしていたの」

「どんな薬？」

「戦争に使う薬」

「けがや病気をした兵隊さんのための薬？」

ソーニャったら、つまらない質問をして。そんなのあたり前です。でも、お母さまは黙りこんでしまいました。ウォトカをこくりと飲み、わたしたちの目を交互にのぞきこみました。

「そうね、今日はきちんとお話ししましょうね。お父さまは、敵を殺すための薬の研究をしていたのよ」

わたしは大きな肉のかたまりをスプーンから落としてしまいました。ソーニャも同じだったみたいです。隣のお皿から、ぼちゃんという音が聞こえました。信じられません。お医者さまの薬は、人の命をたすけるためのもの。本棚のどんな本にだって、そう書いてあるのですから。

「お父さまが悪い人だったわけじゃない。軍の命令だったの。お父さまもずいぶん心を痛めていらしたのよ。だって、戦争をしている相手の国にまく細菌だとか、毒ガスだとか、敵の兵隊が隠れている場所の木の葉を枯らしてしまう薬とか。恐ろしいものばかりだったから――」

「木を枯らしてしまう薬？」

ソーニャが驚いて聞き返しています。わたしも聞き間違いかと思って、そうしようと思っていたところでした。だって、そんな薬を発明しなくても、冬になれば木の葉なんて、みんな枯れてしまうものなのに。

「ええ、枯葉薬――お父さまたちはそう呼んでいました。世界中の軍隊が研究をしているけれど、まだどこも成功していない。お父さまは自分が世界で初めての成功者になるだろうっておっしゃっていた。あなたたちが生まれる少し前のことです」

お母さまは顔に手をあてて黙りこんでしまいました。もうこの話は終わりかと思ったのですが、指の間からお母さまの言葉は続きました。

「でも、結局、そうはならなかった。実験中だったその薬が誤ってあたりにまき散らされてしまったの。近くに住む人や、牛や羊や、生まれてくる赤ちゃんに、ひどいことがいろいろ起きてしまった……」

お母さまが、ソーニャみたいにすんと洟をすすって、またひと口ウォトカを飲みました。さっきからスープには手をつけずに、お酒ばかり飲んでいます。

「お父さまはそれを見て、恐ろしくなって、研究をやめられたのよ。軍には研究を失敗したことにしてね。だから、お父さまを恨んだりしないでね」

恨む？　お母さまからは教わっていない言葉です。ソーニャと口をそろえました。

「何のこと？」

お母さまはわたしたちの質問には答えずに、小さく息を吐きました。雪野原を渡る風みたいなため息でした。

「何のこと?」

「恨まないで。もう、すべて、昔のことです。去年、日本は戦争に負けて、ハルビンから出ていきました。お父さまはその時に亡くなったんです。いま町にいるのはソビエトの軍隊。でも、ここはもともと中国の人たちの土地ですからね。もうすぐ自分たちの国に帰るそうですよ。この家の外で何が起ころうとも、私たちは気にすることはないの。ここでずっと暮らしましょう。二人で――」

二人で――そう言ってから、お母さまは口を手で押さえ、お酒を飲んでしまったことを後悔するみたいにコップをテーブルの向こうに押しやって、言い間違いをただしました。「三人で」

窓の向こうに月がのぼり、ダーチャの床にわたしたちの影を映しました。テーブルをはさんで二つの椅子。一方にはお母さまが座り、もう一方の椅子にはわたしとソーニャが座っています。お母さまの影がゆらりと揺れました。テーブルにひたいを押し当ててしまったのです。

「あなたたちは、何も悪くない。普通の子とほんの少し違うだけ」

泣いているような声でお母さまが言います。わたしたちが双子であることを言っているのだと思います。だけど、わたしは別に気にしてはいません。ソーニャだって同じです。もうわたしたちは九歳ですから、人間の中の何百人かに一組は双子で生まれてくることがあって、双子はひとつの体を二人で分け合っている、そんなことぐらい本を読めば想像がつきます。鏡の国のアリスに出てくるダムとディーだってそうですし。

「お父さまは、いつか医学が進歩すれば、あなたたちを治せる時代が来るっておっしゃっていたけれど、私は嫌なの。だって、そんなことをしたら、あなたたちのどちらかがいなくなってしまうわけですからね。そんなこと許さない」

治せる？　わたしは首をかしげました。いつものことだけどソーニャはわたしと逆の向きに首をかしげたから、頭と頭がごっつんこしてしまいました。

「何のこと？」

「何のこと？」

わたしたちが声を揃えると、お母さまが顔をあげ、両手にあごをのせて、にっこり笑いました。いままでとは違う、ほんものの笑顔です。

お母さまはスープの中の肉のかたまりをスプーンですくいとって口に入れ、ごくんとのみくだしてから、力強い声で言いました。

「なんの心配もいらないわ。あなたたちは私が守ってあげるから。いつまでも、ずっと」

わたしたちは、ひとつの体をしゃんと伸ばして、ふたつの頭を大きくうなずかせました。

コール

結婚します。
どうぞこれからも
いい友達でいてください。

木もれ陽《び》がまだら模様をつくる坂道を昇りはじめると、ひぐらしの声が降ってきた。夏の終わりの陽ざしが少し柔らかくなった。

急勾配でしかも長い坂だ。僕は美雪の後ろを歩いた。彼女がころげはしまいかと思って。なにしろ今日は珍しくヒールつきの靴を履いていたし、片手に旅行鞄を下げているし、おまけに美雪は意地っ張りだから。

「荷物、持とうか」

振り向いた美雪は目じりと鼻の上にしわをつくっていた。子どもみたいに無防備な、くしゃくしゃの笑顔。彼女のこんな顔を見るなんていつ以来だろう。

「だいじょぶ、このくらいへっちゃら」

予想どおりの答えを口にする。昔からそうなんだ。男友だちから女扱いされるのが嫌い。

「駅のコインロッカーに預ければよかったね」

「へいき、へいき。二年半だけど、いちおう主婦だったんだもん。スーパーの袋を二つさげて階段をあがるのに比べれば、こんなの、どうってことないよ」

そうでもなさそうだ。鞄は小ぶりとはいえスーツケースで、中身がまるまるとふくらんでいる。美雪はこの坂の上にある寺に寄ったあと、新幹線の停車駅から故郷へ帰るのだ。

「広島には、いつまで帰ってるの？」

彼女の荷物が今日のスーツケースだけでないことを、秋物の服やお気に入りのＣＤや時々しか身につけないアクセサリーまで、あらかじめ実家へ送っていることを僕は知っていた。

「ごめんね、いつも迷惑かけて。電話するのはこんな時ばっかりで。ダイゴロウが手におえないようなら、すぐに連絡して。ペットの飼えるマンションに住んでるのにカメしか飼ってないコにむりやり押しつけちゃうよ」

「いや、ダイゴロウを預かるのは全然かまわないんだ……そういう意味じゃなくて……」

「キャットフードは安いのでだいじょうぶ。ダイゴロウはなんでも食べるんだ。うちなんてときどき切らしちゃって、オカカご飯を食べさせたりしてたし」

投げかけられた言葉から身をかわすように、美雪がことさら陽気に言葉を続ける。

「猫のくせにおせんべも食べるんだよ。出しっぱなしにしてると、ポリポリ食べちゃうから気をつけて。ポテトチップスも。エサ代が足りなければ――」

「エサ代、あんなにもらわなくても、だいじょうぶだよ。美雪が帰ってこないつもりならともかく」

ようやく観念したのか、美雪は張りつけていた笑顔をひっこめて、まっすぐ前を見つめたまま言った。

「親はしばらく居ろって言ってる。長く引きとめておけば私の気も変わるだろうって思ってるみたい。また同じ話を聞かされるのは目に見えてるんだ。こっちの家は引き払って一緒に暮らせって――」

きっと僕は雨の日の捨て猫みたいな目をしていたと思う。もちろん美雪はそれに気づかないだろうから、僕の勝手な想像なのだけれど、美雪の言葉の続きは、なぐさめてくれているふうに聞こえた。

「でも、帰ってくる。しばらく向こうにいて私が毎日グウタラしてれば、親のほうこそ気が変わっちゃうと思うよ。いい年した娘にずっと居られても困るって。ちゃんと帰ってくる。ダイゴロウも待ってるし。第一、あの人を一人にしておくわけにはいかないでしょ、ここに」

美雪はこの半年でずいぶん細くなったあごをあげて、坂を振りあおいだ。夏木立ちがとぎれた先にはコンクリートの塀が連なっていて、そこからつくしみたいに頭をのぞかせた卒《そ》塔婆《とうば》が見えた。坂の上には古びた寺と、こぢんまりした墓地がある。

*

道の両側から民家の姿が消え、木立ちばかりになる頃、坂道は二手に分かれる。右手は扁額《へんがく》の文字が読めないほど老朽化した山門だ。そこから石段が伸びている。

「ねぇ、やっぱり、荷物——」

答えのかわりに美雪はもう一方の手で抱えていた花束だけを差し出した。美雪は戻ってくると言うけれど、花束が先月もつき添った月命日の時より大きいのが僕には気にかかっていた。

「んしょ」

虚勢にしか聞こえないお気楽なかけ声とともに、美雪は一段目にぴょこんと駆け上がって、鞄を持った腕を大きく振って見せる。おいおい、無理するなよ。体がふらついてるぞ。

朽葉を踏みしめて、木立ちの下闇になった石段を昇る。蟬の声がますます激しくなった。もうすぐ終わる夏を知って生き急いでいるのだろうか。美雪が蟬にはりあって声を高めた。

「ここ、前にも来たことがあるの、覚えてる?」

「もちろん。あいつの四十九日の時、俺も呼んでもらったじゃないか」

「ううん、そうじゃなくて、もっと昔」

「ここへ?」

錆《さび》が焦げ色の鱗《うろこ》になった鉄製の手すり。苔をたっぷりまとった石段。頭上は木々の繁りに覆われ、両側の斜面では太い木の根が蛇のようにうねっている。コンビニエンスストアより寺社仏閣のほうが多いこの街ではありふれた風景のひとつだ。観光名所となっている寺ではないし、高い丘の上にあるという以外、これといった特徴があるわけでもない。

「うん、三人で。大学の頃。石段の上のあの大きな木に見覚えない？」

「……ああ、思い出した」

僕と美雪と雄二は、学生時代からのつき合いだ。

最初に知り合ったのは僕と雄二だった。バイトと酒盛り、時々授業という毎日に退屈していた僕と、膨大な数の部員や脱臼癖のために、早々とラグビー部に見切りをつけた雄二は、大学一年の夏休み前、ほぼ同じ時期に同じサークルに入った。超常現象研究会。通称「ミステリーサークルズ」。

屈斜路湖にキャンプを張ってクッシーの撮影を試みたり、ＵＦＯの目撃情報の多い山に登って頂上で宴会を開いたり、案外に行動的なサークルだったのだが、傍《はた》からはおたくの集まり、あるいはカルト宗教のダミーサークルじゃないかと疑われたりしていたから、部員は少なかった。いちばん多い時でも七人。

中途半端なアウトドア志向がわざわいして、ミステリーサークルズは本当のおたく連中にも敬遠されていた。僕らが三年になった時には、米国国防総省から流出した宇宙人解剖シーンの秘蔵ビデオ映写会なんてことばかりしている新興サークルに部員をとられて、ついに二人きりになってしまった。

それでも僕と雄二は、部員の減少を理由に文化部連合から立ち退《の》き勧告が出されていた部室に毎日顔を出し、顔をつき合わせては、新しいミステリーツアーの計画を練った。

計画は山ほど生まれたが、生まれただけ。ほとんど実行されなかった。片親で保険外交員をしていた母親にやっと学費を捻出してもらっていた、本当はサークル活動どころじゃない僕にも、仕送りがじゅうぶんではなく風呂なしアパートに住んでいた雄二にも、金がなかったのだ。そのかわり時間だけはあきれるほどあった。

ミステリーツアーの計画に飽きると――あるいはため息をついてあきらめると――僕らはそれぞれのバイトに行く時間までの暇つぶしにゲームをした。たいていはトランプ。二人だからいつもポーカー。

チップは十円玉。チップ一枚の価値も同じく十円。レイズの上限はチップ十枚まで。可愛らしいギャンブル。なにしろ接待ゴルフで万単位の賭け金《チョコレート》を平気で払うようになる前の話だ。

何度もゲームを続けると、貧乏学生二人にはそのささやかな賭け金さえ払えない時もあった。そうなると負けた方は泣きを入れる。もともと金が目的じゃないから、勝ったほうも困ってしまって、たいていは学食一回分で手を打った。プラス罰ゲームとしてでこぴん。おでこが赤くなるほど思い切り指で弾く。

泣きを入れるのは雄二のほうが多かったはずだ。あいつはゲームに向いてない。ポーカーフェイスが苦手なのだ。あいつの表情や手つきを見れば、コールの前におおよその手札がわかってしまう。

卒業するまでに金をためてネス湖へ行こう。行くからには一カ月は滞在しなくちゃ。ビデオカメラも性能のいいやつを三台は用意しないと——愚にもつかないことを、他に誰もいない部室で赤くしたおでこをくっつけあって語り合った。その頃は酒がなくたって酔えたし、恥ずかしい夢も語れたのだ。

そこに現れたのが美雪だった。

「入部希望の者なんですけれど」

短大からの編入だったから同じ三年生。年は一浪の僕らよりひとつ下。入部して少したってから美雪は言ったもんだ。「二人があんまり喜んでるから言い出せなくなっちゃったんだけど、本当は推理小説の同好会と間違って入ったんだ」って。

この寺へ来たのも、確か大学三年の夏、三人で「鎌倉心霊スポットツアー」を企てた時だった。先輩から借りたクルマで、心霊写真が撮れると噂されていた場所をまわったり、お化け屋敷だと評判だった建物を見学したり、幽霊トンネルを走り抜けたりした帰りに寄ったのだ。

「思い出した。この近くの俺の知ってる寺で、ちょっと出そうな所があるんだって、あいつが言いだしたんだっけ。そうか、ここだったんだ。あの時はもう暗かったから、納骨の時にはぜんぜん気づかなかった」

「知ってるもなにも自分の家の菩提寺《ぼだいじ》だったわけ」

石段を登りきった右手に、垂れた枝が長い腕で掴みかかろうとしているように見える老木がある。

「あの木がざわざわって揺れたんだよね。鳥だったんだろうけど、そのとたん、あいつ、一目散に逃げ出しちまって。心霊関係は嫌いだったからな」

「嫌いじゃなくて、怖い、でしょ。強がりばっかり言ってるくせに、本当は弱虫なんだもん。ここへ行こうって言ったのも、自分が知ってる場所ならそれほど怖くないだろうって思ったからじゃないかな」

小さな笑いとともに漏らした美雪の息は、途中からため息になる。あんなに怖がってた場所に自分が入ってしまうなんて、という顔をしていた。

*

木の下まで来ると、美雪は立ち止まって、頭上に迫った枝を眺める。あの晩は夜空を覆ってしまいそうな巨樹に見えたのに、昼の光の中でみると、拍子抜けするほどありふれた木だった。

「桜だったんだね、この木」

「枝垂《しだ》れ桜っていうのかな。この辺りじゃ珍しいな」

この木が桜であることを、なぜ知ったかを二人とも口にはしない。納骨の日は四月初め、桜が満開の頃だったのだ。桜は無慈悲なぐらい美しかった。人の都合に関係なく、時期が来れば咲き、時期が終われば散る。人間の生き死にと同じだ。

「もう半年になるんだな」

「まだ半年っていう気もする」

「いまでもうまく信じられないよ。最後に会った時には、とても病気には見えなかったのに」

美雪は立ち止まったままだ。墓参りに来たのに、墓の前に行くのは気が進まない、僕にはそう見えた。

「二人で会ったって言ってたよね」

「うん、去年の暮れ……そうだ、美雪に言わなくちゃいけないことがあったんだ。あいつに伝えてくれって言われてたこと」

石畳に置いたスーツケースを握り直そうとしていた美雪が手をとめる。

「そんな真剣な顔で見ないでくれよ。あいつ、あの日はかなり酔ってて。酒の席のジョークみたいなものだから——」

雄二と会ったのは、四谷にある居酒屋。新宿にある商社の本社勤務のあいつと、銀座の広告代理店の営業マンである僕との中間点だった。学生時代は毎日のように顔をつきあわせていたのに、卒業してからは会うのは年に数えるほどになった。美雪を交えて三人で会うのは年に一回、三人で必ず集まろうと決めていたミステリーサークルズの『記念日』の時だけだ。

「何から話せばいいのかな……そう、いまから考えれば、あの日のあいつは最初からおかしかったんだよ。やけにピッチが早くて。いきなり妙なことを言い出したから」

「妙なこと？」

「うん、突然、死後の世界はあるんだろうかって言いはじめたんだ。お前は死んだら人間は本当にゼロになると思うかって。あいつ、UFOやネッシーは信じてたくせに、幽霊とか心霊現象なんか、ほんとは信じてなかっただろ。最初は冗談だと思って聞き流してたんだ。でも、いつまでもその話を続けるんだ。大まじめな顔をして」

美雪は、ああ、やっぱりって顔をした。

「ユングやコナン・ドイルも死後の世界を信じていた、生命はエネルギーの凝縮体だから肉体が消えても存在が残ることは可能なんだって、そんな話をね。俺、あいつの病気のことをまるで知らなかったから、正直、だいじょうぶか、こいつって思った」

「心霊学とか輪廻《りんね》転生《てんせい》とかっていう話でしょ。私には何も言わなかったけど、ある時、あの人の本棚を整理してたら、奥からそういう本が何冊も出てきたの。癌の民間療法とか病院選びの本と一緒に。問いつめたら、ようやく白状したんだよ。検査の結果が良性じゃなくて悪性だったたってこと。信じられない。告知されたのに奥さんに黙ってるなんて。普通は逆でしょう。もっと早く教えてくれれば何かいい方法が……」

美雪は怒った声でそう言い、眉を吊り上げるけれど、美雪にもわかっているはずだ。末期癌だったのだ。たとえ彼女が半月ほど早く知っていても、どうにもならなかった。

「自分に万一のことがあったら——あいつがそんなことを言いだすから、何も知らない俺は、心配ない、地球が滅びてもお前とゴキブリだけは生きのびるなんて冗談を返したんだ。でも、あいつは笑っちゃくれなかった」

　美雪が黙って首をかしげて話の続きを催促した。

「もし俺が先に死んで、死んだ後にも意識のようなものがあったら、必ず美雪やお前にサインを送るから。そう言ったんだ。美雪にも伝えといてくれって。死後の世界があることを証明してみせるって」

　呆れた、というふうに美雪は肩をすくめたけれど、顔には別の表情が浮かんでいた。

「……怖かったんだね、死ぬのが」

「うん、きっと美雪を残して死んじゃうことが怖かったんだよ」

　その言葉には答えずに美雪は歩き出した。

＊

　たった三人だけのサークル活動は、僕らが四年になるまで続いた。

『つちのこか？　岡山で不思議な生物の目撃が相次ぐ』

　新聞の片隅にこんな記事を見つければ、その夜のうちにクルマにビデオカメラやシュラフを積みこんで東名高速を飛ばした。

ＵＦＯのメッカと呼ばれていた山梨の山村に一週間滞在した時は、昼は稲刈りのバイトをし、夜は携帯カイロで体を温めながら、カンテラの灯の下で朝まで双眼鏡を覗いた。

活動資金が底をついた時は、七センチ級なら数十万で売れるという噂を聞いて、福島の山中へオオクワガタを探しに行った。

この世の謎はすべて目撃する——それが三人の合言葉だった。自分たちのすぐ目の前にある現実すらろくに見えていなかったくせに。

まわりからはドリカムみたいだって言われてた、男二人と女一人のトランプの積み木並みに危うい友情は、やがてバランスを崩しはじめた。雄二が美雪に惚《ほ》れてしまったのだ。友情より女を優先することは許す、それがたいていの男同士のつきあいの不文律だが、僕は許さなかった。なにしろ僕も雄二と同じ気持ちだったから。

いつからだろう、美雪を好きになってしまったのは。ＵＦＯを見に行った高原で、夜空を見上げていた彼女の横顔に目が釘《くぎ》付けになってしまった時だろうか。五センチ八ミリのクワガタをつかまえて、男みたいな雄叫びをあげて跳びはねるオーバーオール姿の美雪を見たときだろうか。それとも文化部連合館の物置を改装した部室のドアを開けて彼女が入ってきた瞬間からだったのだろうか。

女にしては鈍感な美雪より先に、僕と雄二は、お互いの考えていることがわかった。だから、どちらが先に美雪に告白するか、その優先権を決めることにした。このことは美雪に話したことはないし、雄二も言っていないはずだ。知ったらきっと、顔をおサルみたいに赤くして怒ると思う。なにしろポーカーで決めたのだ。

決着はカードでつける。一回だけの大勝負。二人がそう決めた日の夜、ぼくはこの勝負のために買った新しいトランプカードをポケットに入れ、ウイスキーのボトルで雄二のアパートのドアをノックした。

ハスラーみたいに二人は安ウイスキーをストレートで一杯ずつあおり、新品のトランプの封を切った。

「チェンジは一回。ジョーカーはなし」

いつもと同じルールだ。ただし、勝負は一回だけ。もちろん降り《ドロップ》はなし。十円玉が行ったり来たりするいつものお気楽な遊びとは違う。

まず僕がゆっくりと慎重にカードを切った。あいつが同じぐらいの時間をかけてさらに切る。お互いに勝負が決まるのを少しでも引き伸ばしたかったんだと思う。

僕の最初の手札はツーペアだった。そのうち三枚はハート。フラッシュが狙え、しかもストレートの目もあった。いつもの僕ならストレート・フラッシュを狙って役を崩したろう。しかしその日ばかりは慎重だった。悪くてもツーペア。うまくいけばスリーカードかフルハウスになる手だ。無理な勝負にいく必要などなかった。

雄二は先に二枚を捨てている。向こうもさほどいい手ではないことは、ポーカーフェイスが下手なあいつの顔を見ればわかった。本人は気づいていないだろうけれど、雄二は追いこまれると耳が赤くなるのだ。僕はカードを一枚だけ捨てた。

そして、コール。

結局、僕の手札はツーペアのまま。先にカードを開いた雄二の手もとを見て、ぼくはうめいた。

雄二はストレートだった。

フラッシュの目があったのに、弱気になって手堅く勝負しすぎたのがまずかった。あいつのポーカーフェイスにも騙された。雄二とは思えない完璧な演技。女は男を強くするって言うけれど、その時は確かにそのとおりだと思ったもんだ。いつだって中途半端な僕より、あいつの気迫のほうが上まわっていた。

僕がよほど悔しそうにしていたからだろう。雄二はこう言った。

「でこぴん一発やってもいいよ」

だから、僕はありったけの力で、しばらくあいつがうずくまってしまうほどのでこぴんをしてやった。「がんばれよ」やせ我慢のセリフと一緒に。あれから、もう五年だ。

*

石段を登り切り、本堂の手前を右へ折れると、傾斜地を雛壇《ひなだん》状に削って区画した墓地がある。こんな古びた寺でも経営意欲はあるらしく、斜面の上の方はまだ造成中。桶《おけ》置き場のかたわらに咲くサルビアは、墓地の花にしては鮮やかすぎる気がした。

「あっけないね」

墓石に話しかけるように美雪が言う。

「丈夫なだけが取り柄だっていばってたくせに。生まれてから一度も下痢をしたことがないとか、小学校時代は皆勤賞だったとか、自慢して。嘘つき」

今度ははっきりと墓石に向かって言った。すねるような口調が僕の胸を刺した。

美雪は用意してきたタワシで指の関節が赤くなるほど熱心に墓石をこすり、使い古しの歯ブラシを使って刻字の中のカビもきれいに落とした。それからていねいに水を打ち、花を添える。挿し入れた花の姿が気に入らなかったらしく、何度も何度も直していた。

すべての作業を終わらせるとスーツの見立てをする時のように、墓石を眺めて首をななめにしたり、まっすぐにしたり。それから、小さく頷いた。

「よしっ」

来月の月命日にはここへ来ないつもりだってことがわかった。もしかしたら、その先も。両親だって気が変わるだろうと彼女は言うけれど、彼女のほうの気が変わって、こっちの家を引き払ってしまうことだって、ないとはいえない。

もう会えないかもしれない。そう思うと、線香の煙がやけに目にしみた。手を合わせた美雪が目を閉じているのをいいことに、僕はずっと横顔を見つめ続けた。

「……あのさ」

口ごもったままで言葉が出てこない。ようやく目を開けた美雪が不思議そうに見つめ返している。

「なに？」

「……えーと」

言ってしまえ。彼女を広島に帰したくないんだろ。

「十月に――」

後の言葉が出てこない。いくじなしめ。そろそろ夕闇が迫ってきている。もう時間がないぞ。

「十月?」

「……いや、その」

美雪が振り返る。十月の第三日曜日は、僕ら三人の記念日だ。ミステリーサークルズの唯一の成果、UFOを見た日。卒業し、社会人になり、二人が結婚した後も、この日だけは三人で集まり、夜中に目撃現場の山梨まで繰り出すのが、僕らの年に一度の恒例行事だった。

夜空に不規則な軌跡を描きながら通りすぎていった一筋の光は、いまでも目に焼きついている。あれは、ただの流れ星だったよ、美雪はいつもそう言って笑うけれど、まぁ、たいした問題じゃない。信じようが信じまいが、あの光を見つめていた時の胸の高鳴りは本物だったし、いまとなっては、ばらばらになりかけた三人がたった一日だけ昔に戻れる口実なんだから。

いつまでも出てこない後の言葉に、美雪が困った顔をした。

「ねえ、何?」

「あ、えーと、なんでもないんだ」

「どうしたの、変だよ、雄二くん」

美雪がこっちにゆっくり振り向いた。でも、その瞳は雄二にだけ向けられている。僕にじゃない。残念ながら僕の姿は相変わらず美雪の目には映っていないんだ。自分が誰にも見えないことには、この半年で慣れっこになったけれど、悲しいのは変わらない。

「あいつの墓の前でこんなのん気なことを言うのは悪いんだけど……」

雄二の耳は真っ赤だ。いいんだよ、雄二。言っちまえ。悪いのは僕のほうだ。賭けに負けたくせに、彼女へ先に告白しちまったのは、僕なんだから。

五年前、いつになく沈んだ表情の美雪が僕に問いかけてきたのは、雄二とのポーカー勝負の一カ月ほど後だ。

「ねぇ、岳《たかし》くん、最近、雄二くん変じゃない？　話しかけても、ちゃんと返事をしてくれないし」

高校時代は県のベストフィフティーンに選ばれた快速フルバックだったくせに、雄二は女に関してはからきしのろまで意気地がなかった。美雪を意識するあまり、かえって固い態度で接してしまったんだ。自分を避けていると美雪に思われるほど。僕との賭けに勝ってしまった戸惑いとプレッシャーがよけいにそうさせたのだと思う。

「私、雄二くんを怒らせるようなことしたかな」

「いや、そんなことないと思うよ」

最初はお前をフォローするせりふを並べたんだ。本当に。でもそうしながら、そうすればするほど、彼女を誰にもとられたくないって、体が震えるぐらいに思い続けてた。

「……雄二くん、彼女ができたのかな。みんなの前で私に慣れ慣れしくされるのが迷惑なのかも……」

あの時の美雪の表情を僕は忘れない。ふだんより低くてかすれた、本当は口にしたくない言葉をむりやり絞り出しているような声も。その時に僕はわかってしまった。雄二が美雪に自分の気持ちを告げたら、第二候補の僕にはもうチャンスがないってことを。

「どうかな」

僕は曖昧《あいまい》な返事をしてしまった。卑怯《ひきょう》者。あの時のことを何度振り返っても、自分でそう思う。当時、同じゼミの女の子が、雄二へあからさまにアプローチしていることは僕も美雪も知っていたけれど、雄二が迷惑としか思っていないことは、僕しか知らなかった。

飲みに行かないか、珍しく美雪の方から誘ってきた理由も僕にはわかっていたはずだ。

二人で行った居酒屋では、もう雄二のことは話題にのぼらなかった。避けていたというほうが正しいかもしれない。実は二人きりで酒を飲むのは初めてだったから、僕は夢中で自分のことばかり話したはずだ。はっきりとは覚えていない。僕も美雪も、その頃はまだたいして強くもなかった酒をでたらめなペースで飲み続けて、途中からの記憶が不鮮明だからだ。二軒目に行った店がどこだったのかも。なぜ彼女のアパートに泊まってしまったのかも。

酒のせいだなんてごまかすつもりはない。僕は傷ついて弱くなった美雪の心に食らいついただけ。迷子の牝鹿《めすじか》を襲ったハイエナ。

つきあい始めた僕と美雪を見ても、雄二は怒らなかったし、何も言おうとはしなかった。ぐずぐずしていた自分が悪かったのだ、最初から自分は相手にされていなかったのだ、そんなふうに思いこんでいるらしい。いままでどおりにつきあってくれる雄二の姿を、僕は身勝手にそう解釈した。その後、雄二は同じゼミの女の子とつきあい出したのだが、長くは続かなかった。

大学を卒業した次の年、僕と美雪は結婚した。結婚式の前に僕にはやらねばならないことがあった。雄二に謝ることだ。だけど、できなかった。美雪の言うとおりだ。強がりばかりの弱虫。結局、自分勝手な一筆を添えた結婚式の招待状を送っただけだ。

でも、二人のどちらにとってもいちばんの友人であるはずの雄二は、欠席の返事を寄こしてきた。それが僕の裏切りに対する雄二の唯一の答えだった。それ以来僕は、ずっと重い荷物を背負った気分で生きてきた。そろそろ荷物を下ろしてもいい頃だ。なにせ、もう死んでいるのだし。

*

断言しよう。死んでからも人は存在することができる。僕がその証拠だ。ただし生命の残像のように意識が残っているだけで、生きている人間には姿を見せることができない。いままでに僕の姿に気づいてくれたのは、ダイゴロウだけだ。

死んでみて初めてわかったことがいくつか。まず生きている時より移動が簡単なこと。ふわふわ浮かぶように歩け、近い場所なら念じただけでそこへたどり着ける。靴ずれに悩むこともない。

雄二、僕はお前の家にも何度か行ったんだよ。お前なら僕の姿に気づいてくれるかもしれないと思って。だから僕はいろいろ知っている。なにせ完全無欠のストーカーだ。お前がティーンエイジャーみたいにライティングデスクの引き出しに美雪の写真を隠してることも。時々それを引っ張りだしてため息をついていることも。

西からの陽ざしが淡くなってきた。蟬の声が静まり、そのかわりに草むらで虫の声《ね》が聞こえはじめた。丘の上に吹く夕風は真夏の頃と比べたら肌寒いほどなのに、雄二のひたいには汗が伝っている。オオクワガタを探して山の中を駆けまわっても汗ひとつかかなかったこの男にしては珍しい。

「……えーと……あれだよ」

「なぁに？」

もう。焦れったいな。僕は雄二の正面に立った。試しに足を踏んでみたけれど、まったく気づかない。視線は僕を素通りして、背後のサルビアを見つめている。

これも死んでから、わかったこと。姿を見せることはもちろん、現実の世界にかかわることもできない。いつかの晩、雄二に宣言したとおりになったというのに、僕にはそれを証明するすべがないんだ。

何度も試してみた。美雪の頰に触れたり、生きてる時のままになっている僕の机の上のペンや写真立てを動かそうとしたり。でも、できたことといえば、カーテンを何度か揺らしたことぐらい。僕の思念のエネルギーが足りないのだろうか。この世にひどい恨みや大きな悔いを残した人間には、姿を現したり存在を示せたりできて、それが幽霊の目撃談になるのかもしれない。さっきの桜の木の下でも、顔が半分潰れたお婆さんが僕らを睨んでいたしね。なぜか僕には無理だ。死んでからも中途半端な人間なんだな。

だけど、もう一度だけトライしてみようと思う。僕は親指とひとさし指で輪をつくった。今度こそ成功させなくちゃ。もう最後になるかもしれないから。

どうやら死後も意識が残るといっても、永遠ではないらしいんだ。自分の葬式を呆《あっ》気《け》にとられて眺めていた時には冴え冴えとしていた頭が、日を追うごとにぼんやりしてきている。最近の僕は、うたた寝をしている時みたいに意識が断片的にとぎれることが多い。いまだって気力を絞り出していなければ、目を開けていることすらできないほどなんだ。二度目の死が、意識の死が近づいているらしい。一度死んでいるから、最初の時ほど怖くはないのが幸いだ。

僕はすべての意識を指先に集中して身構えた。ひとさし指に力をこめ、親指を弓がわりにして引き絞る。そして指の矢を雄二のひたいに叩きつけた。

手ごたえがあった。雄二が目を見張る。成功。初めてだ。

雄二は頭上を仰ぎ、それから周囲を見まわした。風に吹かれて木の実が飛んできたとでも思っているのだろう。相変わらず鈍感なやつだな。五年前のあの夜のでこぴんを思い出せ。

もう一度。今度は中指と薬指で雄二のひたいをがっちり押さえて、渾身のでこぴんを叩きつけた。

雄二がひたいをかかえて呻いた。

「どうしたの、頭が痛い？」

突然顔を歪めた雄二に美雪が心配そうな声をかけている。雄二はひたいをさすりながら、目を丸く見開いたまま美雪に言う。

「……ねぇ」

「なに？」

「いま、あいつが来たよ」

「あいつ？」

美雪が首をかしげる。雄二が首を百八十度まわしながら言った。

「うん、あいつ。岳がきた……」

「何を言ってるの、雄二くんまで。やっぱりおたくコンビだね、あんたたち」

雄二の視線が宙をさまよっている。僕の姿を探しているらしい。もっと怯えた表情をするかと思っていたのだが、怖がっているというより、飼い主を探す小犬みたいな目をしてた。雄二、お前は本当にいいヤツだな。僕よりずっといいヤツだ。

雄二は何度も周囲に目を走らせていたが、あきらめたらしい。見えない僕に合図したつもりなのか、墓石に向かってそっと手刀を切った。ポーカーの賭け金を払えない時におなじみの、雄二の「すまん」のポーズ。おいおい、そっちじゃない。僕はこっちだよ。

雄二が美雪に向き直る。耳はまだ赤かったけれど、言葉はしっかりしていた。

「十月の第三日曜日、今年は二人だけになっちまったけど、いままでどおり、行かないか」

美雪は冗談で紛らわせようとする笑顔をつくって口を開きかけたが、雄二の続きの言葉のほうが早かった。

「今年だけじゃなくて、これからも」

美雪が警戒と困惑をカクテルした表情になった。でも二年間とはいえ一緒に暮らした僕にはわかる。本当に嫌だったら、美雪はまっすぐ相手の顔を見つめ返したりはしない。

「だから広島から帰ってきてくれ。こっちにいて欲しい。寂しくなるから。駄目かな。あいつがいなくなったのに会うのって、二人になっても会うなんて、変かな」

雄二が言葉を一気に吐き出すと、美雪がようやく口を開いた。

「ううん、ちっとも変じゃないよ」

夫に先立たれてまだ半年の女の模範みたいな硬い表情だったけれど、美雪の声は優しかった。美雪は言い訳みたいに言葉をつけ足す。

「友だちだもん」

友だちにしては視線を合わせる時間がちょっと長いぞ。僕は二人の耳には聞こえないため息をついた。半分は安堵の、半分は胸の中の痛いほど重い空気を吐き出すためなの。

自分の女房と他の男とのキューピッド役を買ってでる男なんてめったにいないだろう。妻に失恋する夫というのも。正直に言えば、死んだいまでも、できるなら美雪を手離したくはない。ため息をいくら吐き出しても、胸はどうしようもなく重いけれど、しかたない。古いカードを切らなければ、新しい手札はつくれないからね。友だちだなんて、いつまでも言わせるな、雄二。美雪をよろしく。

二人が石段を降りていく。いつの間にか美雪のスーツケースは雄二が持っていた。

僕よりよっぽどお似合いかもしれない。背の高い美雪は僕を気づかって、いつもヒールの低い靴ばかり履いていたのだけれど、珍しくミドルヒールを履いても、雄二の顔はずっと上、彼女が見上げる先にある。

夕焼けが二人の後ろ姿を照らしていた。西からの光が夏木立ちの葉の一枚一枚を精巧なイルミネーションのように輝かせ、美雪のセミロングの髪に金色の縁どりをつくる。古びた手すりまで黄金色だ。

死ぬっていうのは悪いことばかりじゃない。生きてる時は夕焼けがこんなにきれいだなんて気づくひまもなかった。

死んで初めて知った。春には土からいい匂いがすること。桜が散るとき耳をすませば、かすかな音が聞こえること。五月の雲が洗い立てのシーツみたいに真っ白なこと。海に近いこの街の夏の風は少し塩辛いこと。美雪は少し痩せたけれど、眉を「ハ」の字にする寝顔は、五年前シュラフから首だけ出して眠っていた時とちっとも変わっていないこと。ちょっと遅すぎたけれど。

僕は閉じそうになるまぶたをけんめいに押し上げて、坂道を降りていく二人を見送った。二つの背中が木立ちの蔭にまぎれるまでずっと。

知ってるかい、幽霊も涙を流せるんだよ。

押入れのちよ

最初から嫌な予感がしていたのだ。不動産屋のオヤジが、恵太《けいた》が三カ月前まで勤めていた会社のクソ課長によく似ていたからだ。

「家賃五万円以下で浴室付き、と」

クソ課長と同じく黒々とした髪を後ろになでつけた近藤不動産の社長が、整髪料の臭いを振りまきながら恵太の言葉を復唱する。まるで「アラスカで海水浴」というせりふを聞いたと言いたげな口調だった。

「敷金礼金は一カ月。礼金ゼロだとありがたいですね」

「五万円以下、浴室付き、礼金はなし」

今度はアラスカで海水浴、しかも日帰りと言っているような感じ。家賃十万円台の物件を一方的にすすめていた時には、せわしなくファイルをめくっていた指が、まったく動かなくなっている。

「うーん、そりゃあなた、無理だわな。外れといったって、ここは一応、都内だしさ」恵太が入ってきた時の愛想の良さが、すっかり消えている。「どっちかをあきらめてくれないとね。風呂をあきらめれば、五万円以下になるし、六、七万円出してくれれば、ユニットバス付きはいくらでもある」

どっちも譲れない。今月で失業保険が切れてしまう。五万円でも苦しいぐらいなのだ。かと言って風呂なしでは純子が部屋を訪ねてきた時に困る。それでなくても潔癖症の彼女はシティ・ホテル以外の場所ではなかなかさせてくれない。一緒に銭湯に行こうなどと言おうものなら、それこそ「アマゾン川まで水浴びに」なんて言葉を聞いたって顔をされて、今度こそ愛想をつかされるだろう。

「なんとかなりませんか。他はどんな条件でもいいです」

「他はどんな条件でもいい」

近藤不動産は恵太の言葉じりをとらえ、中空を見つめてしばらく何やら考えるふうをした。恵太の顔に妙な笑顔を向けてから、ぴしゃりとひたいを叩き、いま思い出したという感じで言う。

「ひとつ、ありましたな」部屋の奥のキャビネットへ歩き、紙片を手にして戻ってきた。いままでのパソコン図面とは違う、手描きの間取り図だ。かなり古びて紙が黄変している。「ここなんですけどね」

　確かに風呂付き。六畳の和室にダイニングキッチン。ユーティリティと記された小部屋まである。いま住んでいる家賃十一万円のワンルームより広い。

「これで、なんと三万六千円。礼金なし、管理費なし」

　安い。不気味なほど。

「なぜこんなに安いんです？」

　目を輝かせて恵太を見つめている近藤不動産は一瞬無表情になったが、コンマ数秒で再び顔に愛想笑いを張りつけた。

「まぁ、なんちゅうか、その、ひとつだけ欠点が」

「駅から遠い？」

「いえいえ、徒歩九分」

　一分が八十秒以上ある不動産屋時間に換算したとしても、遠すぎるというほどではない。

「日当たりがひどく悪いとか？」

「いやいやいや、その点はご心配なく。もう日がさんさんと」

「雨漏り？　床にボールを落とすと転がる？」

「とんでもない。造りは確かで。いちおうマンションですから」

「じゃあ、どうして……」

近藤不動産が目の隅で笑った気がした。

「少しばかり、古いのが難点でして」

「古いってどのくらいです」

「築三十五年ほどなんでございますよ」

いつのまにか言葉が敬語に戻っている。三十五年前からマンションが存在していたとは知らなかった。

「三万三千円でどうです？」

近藤不動産は「これが最後のチャンス」と告げるクイズショーの司会者みたいな目で恵太を見つめて、物件シートをひらひらさせる。

「そこでお願いします」

部屋も見ずに決めた。見てしまうと決心がにぶりそうな気がしたからだ。

なにせ恵太は二十八歳。アポロ11号が月へ行った後に生まれた世代だ。馬鹿ではないが、諺《ことわざ》のたぐいはあまり知らない。もし知っていれば、こんな警句を思い浮かべたはずなのだが。「安物買いの銭失い」あるいは「タダほど高いものはない」。

＊

駅から早足で九分。『月が丘マンション』は確かにボロだった。マンションといっても小さな三階建て。壁はひび割れ、昆布茶色に煤《すす》け、そのボロ隠しのように伸び放題のツタに覆われているから、まるで苔むした巨大な石碑に見える。曇りガラスのはまった木製の玄関扉をくぐり抜けると、恵太の靴音をコンクリートの床が陰気に鳴らした。

エレベータなどもちろんない。恵太は家電メーカーの悪意としか思えない2《ツー》ドア冷蔵庫の重さに耐えて階段へ向かった。引っ越し代を浮かすためにレンタカーを借り、一人で荷物を運んできたのだ。友人の誰かに助っ人を頼もうかとも考えたが、結局やめた。失業し、再就職の当てもなく、惨めな新居に引っ越す自分を見られたくなかったのだ。会社を辞めてからは、元の職場の同僚とも学生時代の仲間とも連絡を断っている。

ワンフロアに部屋は三つ。一階の手前の二部屋に表札はなく、人が住んでいるのかどうかさだかでない。いちばん奥の部屋だけには、やけに大きな木の表札が掲げられている。金メッキの紋の下に『八龍会』という文字が読めた。生け花や茶道の教室でないことは確かだろう。見なかったことにする。

踊り場からのぞいたかぎり二階もひっそりしている。恵太の新しい住居は三〇二。三階の真ん中の部屋だ。

玄関を入ってすぐがダイニングキッチン。右手にバス・トイレ。奥が畳の間。ユーティリティスペースというのは玄関脇の押入れのことだった。

何度階段を往復しただろう。テレビ、ビデオデッキ、エアコン、CDコンポ、パソコン、ダイニングテーブル、ベッド。本やCDやビデオやDVDの詰まった段ボール箱。引っ越しして初めて、自分が驚くほどの家財道具に囲まれて暮らしていたことがわかった。パスタマシーンなんて、なぜ買ったんだっけ。

合間にガスや電話の開設の立ち会いを済ませ、すべての荷物を運び終えた時には、窓の外はすっかり暗くなっていた。恵太は鉄板を打ちつけたような腰をもみ、山脈となって連なる段ボール箱を眺めてため息をつく。もういいや。後にしよう。

とりあえず両隣に挨拶することにした。隣近所の存在は無視するのが東京の流儀のようだが、一キロ先の家の夕食の献立までわかるような片田舎で生まれた恵太は、いまだに顔も知らない人間の隣で暮らすのは尻が落ち着かない。ギフト用のタオルを手にして、まず左手の三〇三のチャイムを押した。

三回押したが誰も出ない。留守かと思って立ち去ろうとした時、ようやく部屋の中から足音が聞こえてきた。

出てきたのは恵太より少し年上に見える男だ。不健康そうな生白い顔に度の強い眼鏡をかけている。ドアをほんの数センチしか開けようとしないが、男は背が低く、三〇二と同じドアから奥まで見通せる細長い造りだったから、質素な勉強机と壁に貼られた美少女アニメのポスターと「早大入試まであと百五十日」と書かれた貼り紙がのぞけた。信じられないが、どうやら年下らしい。

「隣に越してきました。多村といいます」

無言。

「よろしく」

無言。無精髭《ぶしょうひげ》が生えた頬をふくらませただけだ。タオルを差し出すと、ボロ雑巾《ぞうきん》を扱う手つきでつまみあげ、鼻先に叩きつけるようにドアを閉める。郵便受けからタオルが放り出された。めちゃくちゃ感じ悪い。頭にきたからタオルを突っこみ返してやった。

三〇一はチャイムが壊れていた。ノックをすると、こちらは五秒でドアが開く。聞き慣れない民族音楽と、目の前が白くなるほどの煙草のけむりがあふれ出てきた。

現れたのは肌が浅黒く彫りの深い顔立ちの男だ。恵太が挨拶をすると、妙なイントネーションの返事を寄こしてきた。

「こにちわ」

どこの国の人間だろう。アジア系の外国人だ。部屋にはざっと数えただけで十人ほどの人間がいる。みなよく似た顔。恵太の姿を見るや、わやわやと浴室に駆けこみはじめた。男が肩をすくめ、まつ毛の長いらくだみたいな悲しげな目で、恵太を見返してくる。

「けいさつ?」

「いいえ、隣に引っ越してきた者です」

「ひこし?」

「はい――」英語で言うとなんだっけ。

「けいさついう?」

「いえいえ、ノープロブレム。私の名前はタムラ・ケイタです。隣の三〇二に新しく住みます。どうぞよろしく」

今度は通じたようだった。

「三〇二？」

「ええ」

男がドアから顔を出して恵太の部屋の方向をうかがい、コンマ一秒の素早さで首を縮めた。

「それはそれは、よろしくどじょ。あなた、たいへんね。隣はブダのカマルだものね」

「ブダの……なんですって？」

恵太が問い返すと、男は聞き慣れない外国語で祈禱めいた言葉をふた言、三言つぶやき、長い首をゆっくりと振った。

「テダ・アパアパ。ニポン語でいうと気にするな、ね。住めば都はるみよ」

日本人に教わったらしいしょうもない駄洒落を吐いて恵太にウインクしてくる。ふたこぶらくだが、砂漠で遭難者を見つけてまばたきしているみたいに見えた。

部屋に戻って、当面必要なものだけを配置する。六畳間にベッドと簞笥とテレビ。ダイニングに置いた二人用のテーブルと椅子と食器棚は、純子の見立てで買ったイタリア製だ。一人暮らしには少々贅沢だが、言葉にはしなくても、純子の気持ちはわかっている。「結婚しても使えるものにして」。

古びたマンションのリノリウムの床と色のさめた畳の上に置くと、どれもがまがい物に見えた。

純子とは二カ月以上会っていない。彼女とのあいだがぎくしゃくしはじめたのは、会社を辞めてすぐだ。職場の同僚以上の関係になって一年半、プロポーズはまだだったが、お互い言葉の前置詞に「結婚」という見えない文字を置く関係になっていた。きっとリストラ同然に会社を辞めた恵太が、知らず知らずのうちにいらだっていたのが悪かったのだと思う。金がなくて、彼女が好きなフレンチの店やワインバーに誘うのをためらっていたのもいけなかった。

最近はこちらがかけるばかりで、向こうから電話はなかった。メールや留守電でメッセージを送っても、返事は来ないことのほうが多い。早く新しい就職先を決めなければ、二人の仲はさらに悪化してしまうだろう。

会社を辞めたのはまだ寒い時期だったのに、カレンダーはもう夏の手前。やけに蒸し暑い夜だった。恵太は汗まみれのTシャツを脱ぎ捨てる。後は明日だ。風呂に入ろう。せっかくバスルーム付きの部屋にしたのだし。

浴室のドアに手を掛けた瞬間、ふと、うなじの毛をつままれたような感覚に囚われた。公衆トイレで小便をしている時、誰かに後ろへ立たれた時のあの感じ。

振り向いたが、もちろん誰もいない。ロココ調の食器棚のガラスに素っ裸で目を丸くしている自分の間抜けな姿が映っているだけだ。

旧式の給湯器の生ぬるいシャワーを浴びはじめてから気づいた。ボディソープもシャンプーもまだ段ボールの中だ。濡れた髪を振りながら六畳間に戻る。どこだっけ。見当をつけて開けた段ボールの中には、ホイッスルケトルとマイセンで揃えた食器しかなかった。

ざわり。

かすかな物音がした。畳が擦《こす》れる音だ。部屋を見まわしていると、また、ざわり。

正面を見た。そのまま首が固まってしまった。段ボールの向こう側に顔がある。

「……誰だ?」

おかっぱ頭の女の子だった。三段に積んだ段ボールの上からはサラダボウルのような髪と切れ長の目しか見えない。恵太はドアに鍵をかけていなかったことを思い出した。

「何してる? ここは俺の家だぞ」

少女の目玉が恵太の股間へ動き、細い目が木の葉のかたちに見開く。まずいシチュエーションだった。パンツを脱いだ男と女児。他人が見たら、いたいけな少女を部屋へ引きずりこんだ変態男だと思うだろう。あわててケトルで股間を隠し、パンツを拾い上げて風呂場に飛びこんだ。

玄関のほうへ走り去っていく足音がした。パンツを穿き、玄関をのぞいた時にはもう少女の姿は消えていた。

階下の住人の子供？　恵太は首をひねる。いったいこのマンションはどういうところなのだろうかと。家賃三万三千円は、はたして安かったのかと。

＊

翌日の夕方、恵太は口笛を吹き、一段飛ばしで階段を駆け上がった。今日受けた東亜コーポレーションの面接は、なかなか好感触だった。いや、なかなかなんてもんじゃない。内定したも同然。

東亜コーポレーションは新興の化粧品販売会社。現在は無店舗販売だが、近々、マツキヨ並みのフランチャイズチェーン展開を開始する。そのための人材が欲しいそうだ。前の会社に比べれば名は通っていないが、なんと給料は一・五倍。ボーナスもずっといい。いきなり役員面接が行なわれ、別れ際に社長はこう言った。

「いつから来られる?」

頭の中でその言葉を何度も反芻《はんすう》した。片手で振りまわしているコンビニの袋の中身は、いつものノリ弁じゃない。カツ重弁当。酒とつまみも入っている。前祝いだ。

今度の会社ではうまくやろう。恵太の前の職場は大手百貨店だった。本社勤務の外商部。企業や富裕層を顧客にする花形の職場だ。恵太の仕事は個人外商。セレブの「オクサマ」相手に、自分の月給より高いティー・セットや、年収の何倍ものカーペットを売りつけていた。出身大学は社内でも羽振りのいい学閥を形成していたし、自分で言うのもなんだが営業成績は優秀。出世コースの片道チケットを握っていた。流通不況の折り柄、恵太の百貨店にもリストラの嵐が吹いていたが、まったくの他人事《ひとごと》だった。木曾《きそ》が外商一課の課長として赴任してくるまでは。

たぶん木曾は、就任早々に開いたあいつの新居完成祝いに、課内で恵太だけ参加しなかったのを根に持ったに違いない。別に最初から木曾に反感を持っていたわけじゃない。あの日はどうしてもはずせない約束があっただけ。純子と三カ月待ちでようやく予約がとれた人気のフレンチの店へ行く日だったのだ。

新築祝いの翌日から、木曾は恵太にトラブルメーカーの客ばかり押しつけるようになった。そのくせ商談に失敗すると無能だとなじる。おかげで社内の評価はさんざんなものになった。リストラ要員として名前があがっていると聞いた翌日、こっちから辞表を叩きつけてやった。隣の部署で働く純子にこれ以上ぶざまな姿を見られたくなかったのかもしれない。

三本目のビールを開け、携帯電話を手にとった。純子に電話をしなければ。なにしろ引っ越しをすることも、新しい住所もメールで伝えただけだ。内定確実であることを報告すれば、きっと喜んでくれるだろう。

昔の俺たちに戻ろうよ。そんな決めゼリフを何度か口の中で唱え、ビールで喉を湿らせてから、一人だけみんなとは違うグループに登録してある番号を呼び出した。だが、携帯の向こうから聞こえてきた女の声は純子のものじゃなかった。

——オカケニナッタ電話番号ハ現在使ワレテオリマセン……。

え？

何度かかけ直してみたが、同じだった。恵太は携帯でひたいを叩いて考えた。この状況に対する合理的な答えを求めて。ビールをもうひと口すすって、ひりつく喉を湿らせた。

そうか、純子は新機種に目がないから、また携帯を替えたのだ。つきあっている一年半の間に二回も機種変更したぐらいだ。そうに決まってる。前々から、ａｕをドコモにしたいって言ってたし。すぐに新しい番号を知らせる電話をかけてくるだろう。缶ビールを半分残したまま、酒をウイスキーに切り替えた。ストレートでグラス半分ほどを一気に飲み干し、壁紙を食っているように味けないビーフジャーキーを嚙みちぎる。そしてもう一度、つぶやいた。そうに決まってる。

＊

何時頃だろう。電気ドリルでアスファルトを掘っている夢から覚めて目を開けた。いつの間にかベッドに倒れこんでしまったようだ。電気ドリルの音は自分の脳味噌の中から聞こえていた。飲みすぎてしまったようだ。頭が鼓動のリズムで疼《うず》いている。喉がひどく渇いていた。冷蔵庫の中のミネラルウォーターがまだ残っていることを祈りながら、ゆっくりと頭を持ち上げる。簞笥《たんす》の上の暗がりに、ぼんやりと何かが見えた気がして、恵太は寝ぼけ眼をこすった。

人形だ。ばあちゃんの市松人形。懐かしい。

恵太の実家はさほど裕福ではないから、末っ子の恵太には個室がなく、高校生になるまで、祖母の部屋で一緒に寝ていた。箪笥の上にこけしや人形が並ぶ部屋に友だちを呼んだら、ひどく笑われたっけ。

あのでっかい人形を見るのはひさしぶりだな――まだ酔いと眠気にかすんだ頭で恵太は考える。体を起こし、ここが故郷の家ではなく、人形はばあちゃんが死んだ年に神社に納めたことを思い出した瞬間、人形のシルエットがもそりと動いた。

人影がするすると箪笥を伝い下りて、キッチンへ歩いていく。市松人形風のおかっぱ頭に見覚えがあった。昨日のあの少女だ。恵太は飛びおき、暗がりの中でスイッチを探りあてて明かりをつけた。

「何をしてるっ！」

大声で叫び、できるだけ怖く見える顔をつくってキッチンに首を出した。

誰もいない。

キッチンにも明かりをつけて、テーブルの下をのぞいてみた。いない。素早いガキだ。もう出ていっちまった。

前の住居がオートロックタイプだったせいか、恵太はしばしば戸締りを忘れる。これからは気をつけないと。このマンションでは何があるかわかったもんじゃない。重い頭をかかえて玄関までいき、そして気づいた。

鍵はちゃんとかかっている。

器用なガキだ。どうやって鍵の締まった部屋に侵入したのだろう。チェーンまでかけてあるのに。恵太は首をかしげる。かしげたまま首がもとに戻らなくなった。

まさか、幽――

思わず口をついて出た言葉を途中で呑みこんだ。最後まで言ってしまうのが怖かった。頭の中で懸命に合理的な説明を探した。アポロの月面着陸の後に生まれた恵太にとって、合理性は生まれた時から周囲にあふれていた生活の重要なファクターだ。

わかったぞ。恵太は指を鳴らす。必要以上のオーバーアクションで。幻覚だ。引っ越しと職探しが重なってこのところ忙しかったから、疲れているんだ、俺。ずいぶん酒も飲んでしまったし。

そうに決まってる。わざわざ口に出してそう言い、明かりを消さずにふとんにもぐりこんだ。だが、もう眠るどころじゃなかった。酔いが吹っ飛び、冴えきってしまった頭の中で、幻覚、幻覚、と魔よけの呪文のように繰り返し唱え続けた。

どのくらい経った時だろう。かすかな摩擦音がした。ふすまが開く音。玄関脇の押入れからだ。

ぺたぺたぺたぺた。

ダイニングのリノリウムを裸足で歩く湿った音がする。いかん、幻聴まで始まった。恵太は耳の穴にまくらカバーを押しこんだ。

足音が近づいてきた。心臓の鼓動をなだめすかし、ひたすら息を殺す。枕もとで音がとまった。

つん。

ふとんの上から背中をつつかれた。恵太が動かないとわかると、もう一度。

つん、つん。

口に拳を突っこんで叫び出しそうになるのをこらえた。幻覚、幻覚、幻覚。

「ふうぅ」

幻覚は小さく息を吐き、再び遠ざかっていく。ほどなくダイニングテーブルで猫の舌なめずりに似た音が聞こえはじめた。幻覚がビーフジャーキーを食らっている！

「うまいの」

幻覚が喋った。年格好には似合わない老婆じみた低い声だった。

「これはなんの肉だ」

幻聴、幻聴、幻聴、幻聴。

「馬かな」

馬でも羊でも兎でもいい。早く消えてくれ。缶ビールをすする幻聴が聞こえたかと思うと、すぐにむせて吐き出す幻聴がした。

「うげげ」

耳を塞《ふさ》ぎたかったが、できなかった。片方の手を口の中に突っこんだままだったからだ。

「この男はだめだな……」

自分のことを言われたのだと思って恵太は縮みあがる。しかし、そうではなかった。

「変なひげ。凶相だ。へびの目をしてる」

テーブルの上に置いたパンフレットを眺めているのだ。東亜コーポレーションの社長のことらしい。

「遠からずばちがあたる」

全身の震えがとまらなくなってきた。忍びこむ夜風をやけに冷たく感じた。エアコンがついていないから、窓は開け放してある——。

「あ」恵太はふとんの中で小さく声をあげた。「窓だ」

なんだ、窓か。部屋の窓はマンションの裏手側に開いていて、すぐ先は古ぼけた倉庫だから、外はろくに見ていないが、きっと侵入しやすい造りになっているのだろう。

そうか、窓から入ってきたんだ。

合理的な解答が得られたとたん、体の震えはぴたりととまった。残った疑問はひとつだけ。なぜあんな子供がこんな夜中に、この部屋へ入ってきたか、だ。恵太はふとんのすき間からダイニングテーブルをうかがった。

少女の背中が見えた。椅子の上に正座をしている。顎で切り揃えた髪から飛び出した丸いほっぺたが、ビーフジャーキーをほおばって、もこもこ動いていた。

「おい、お前」

声をかけると、少女の体が跳ねあがった。ぎくぎくと人形じみた動きで首をこちらに向ける。下ぶくれの丸い顔。切れ長の細い目。色白で鼻も口もちいさいから、まるで饅頭《まんじゅう》に切れ目をふたつ入れたようだった。恵太と視線が合ったとたん、細い目がめいっぱい見開いた。あわてて椅子から飛び降り、玄関に向かって駆け出す。電気コードにつまずき、おかっぱ頭をおちょこの形にひるがえして床へ転がった。

「何してるんだ」

恵太が歩み寄ると、尻もちをついたまま同じ距離だけ後ずさりする。身長は百四十センチにも満たないだろう。まだほんの子供だ。本気で怒るのも大人げない気がしてきた。恵太は腹立ちを抑えてできるかぎりの優しい声を出す。

「怒らないから、言ってごらん」

少女はビーフジャーキーをお守りみたいに両手で握りしめて、おかっぱを左右に揺らした。

腹が減っているのかもしれない。小動物を扱う要領で距離を保ちながら冷蔵庫を開け、朝飯用に買ったおにぎりを取り出してテーブルに置く。少女がおそるおそる手を伸ばしてきた。顔はまん丸なのに、腕はやけに細い。包装ビニールをつけたままのおにぎりにかぶりついた。

「名前は?」

少女はハムスターのように遠い目をしながら、ほほを動かし続ける。口の中のものを飲み下してから、ようやく口を開いた。

「ちよ。川上ちよ」

包装紙に気づいて、小さく丸っこい指で剝がしはじめた。ひどく不器用な手つきだ。

「どこから来た? このマンションの子か?」

意味がわからないというふうに小首をかしげる。言葉を換えてもう一度聞いた。

「おうちはどこ?」

「かわごえ」

川越？　埼玉県だったっけ。

「なんでここにいる？」

かしげた首が四十五度になった。

「家族は？」

六十度になる。

「どこから来た。埼玉から？」

「つちのなか」

聞いたことのない地名だった。あっという間にひとつ目のおにぎりをたいらげた少女は、猫じみた表情で二個目のツナマヨネーズの匂いを嗅いでいる。

「年はいくつ」

「十四」

「嘘《うそ》!?」どう見ても十歳ぐらいだ。

「嘘でない。明治三十九年、丙《ひのえ》の午《うま》だ」

「ふーん、明治か」なにげなくあいづちを打ってから恵太は目を点にした。「明治？」

少女が直立不動の姿勢になり、発声練習のように大きく口をあけて言う。

「生まれは明治三十九年六月九日であります」

言葉にからかっている様子はない。すっかり暗記した言葉を復唱している感じだ。

二個目のおにぎりで頬をまるくしている少女を見て、恵太は思った。かわいそうに、頭がいかれているのだろう。そもそも着ている服がまともじゃなかった。七五三で着るような花柄の赤い振《ふ》り袖《そで》。近くの病院か施設に入院していて、そこから逃げ出してきたのかもしれない。

「おうちに電話しよう、番号は？　どこにかければいい？　川越か。それとも土の中――」

え？　余裕たっぷりの笑顔を浮かべているつもりだったのだが、正面の食器棚のガラスにぼんやり映る自分の顔は、引きつっているように見えた。そして食器棚の前に立っているはずの少女の姿は、どこにも映っていない。

どこかでホイッスルケトルが鳴る音がした。それは恵太自身の悲鳴だった。

三〇一から寝ぼけた外国語で抗議の声が飛んできた。少女は――いや、幽霊は耳を塞いでいた。恵太が後ずさりすると、向こうもいやいやをするように体を揺すって後ずさりする。

「こわい」

こっちのセリフを先に言われてしまった。いま目の前で少女は確かにおにぎりをたいらげたはずなのに、テーブルの上には手つかずのまま二つのおにぎりが載っている。

それに気づいたとたん、恵太の喉はまたもやホイッスルになった。

再び三〇一から抗議の声。壁一枚向こうに人間がいることが、恵太になけなしの勇気を振り絞らせた。

「で、で、出ていけ」

「行くところがない」

少女の幽霊には短いがちゃんと足がついていた。その足が震えている。なぜか向こうも自分を怖がっている。そう気づいた瞬間、やっとまともな声が出せた。

「……じゃあ、行かなくてもいいから、頼む、もう俺の前には出てこないでくれ」

「あい」

幽霊のわりに素直で礼儀正しい。目をまんまるにした恵太の前で膝に手をそろえて頭を下げて、ぺたぺたと歩き、押入れに消えた。中にはまだ手をつけていない段ボールがすき間なく詰まっているはずなのに。

役に立つのかどうかわからないが、食器棚を動かして押入れの扉をふさぐ。それから六畳間の隅にへたりこみ、頭からふとんをかぶった。朝までそうしていた。

窓の外の明るさが勇気をくれた。恵太はようやく腰をあげる。警戒する足取りでキッチンまで行き、顔を洗い、ミネラルウォーターをがぶ飲みする。テレビをつけ、ボリュームをいつもより大きくした。

九時を回った頃、近藤不動産に電話をした。

——はい、近藤不動産でございますぅ。は、月ケ丘の三〇二に入居された方？　社長ですか、ちょっとお待ちくださいな。

近藤の妻らしい。電話の向こうで中年女が「あなたー」と呼びかける声がした。それに答える男の声も聞こえた気がしたのだが、出たのはまたもや近藤の妻のほうだった。

——ちょっと出かけてしまいまして。

なんだか純子の自宅の電話にかけた時のデジャ・ビュのような気がした。

至急、連絡が欲しい。そう言って電話を切った直後だった。つけっぱなしのテレビから聞き覚えのある名前が飛び出してきた。

——東亜コーポレーション社長武元勝敏容疑者は、昨夜、警視庁生活経済課に詐欺容疑で逮捕され……。

画面にはどこかの建物に入る黒塗りセダンが映っていた。後部座席で二人の男にサンドイッチされているのは東亜コーポレーションの社長だった。

＊

東亜コーポレーションの内情は、化粧品の通販に失敗して火の車。ありもしない出店計画でフランチャイズ会員を募り、多額の出資をさせていたそうだ。人材募集をしたのは、いっこうに進まない計画に業《ごう》を煮やした会員たちを納得させるためのパフォーマンスだったらしい。

幽霊どころじゃなかった。おかげでその日一日、恵太は参加するつもりはなかった『中途採用フェア』の会場を駆けずりまわるはめになった。なかなか再就職先が決まらないわけだ。求人企業の面接ブースが並んだコンベンションホールは、失業者の決起集会かと思うほどの多くの人間であふれ返っていた。

帰り道、恵太は会社案内パンフレットが詰まった紙袋に厭世《えんせい》的な視線を落として、ため息をついた。二十代の恵太はどのブースでも受けはよかったが、どこも独自では大がかりな人材募集ができない中規模の会社か新興企業。条件も業務内容も似たりよったり。

この中のどれを選べばいいんだろう。純子に胸を張って社名を言え、昔の同僚たちを見返せるような会社がはたしてあるだろうか。

ふいに頭の中に、誰かのさしがねのようにひとつのアイデアが浮かんだ。あまり実行に移したくはないアイデアだったが。諺《ことわざ》にうとい恵太の頭にはそのフレーズが思い浮かばなかったが、手短に言えばこういうことだ。「毒を食らわば皿まで」。

パンフレットの中から社長の写真が大きく掲載されているものを何冊か選び、ページを開いてダイニングテーブルの上に置く。まん中にビーフジャーキーとカルピスウォーターの缶を供え物のように置いた。押入れの前の食器棚のバリケードを元に戻し、ふとんにもぐりこんで耳をすませた。

午前一時を過ぎた頃、押入れの戸がかたりと鳴った。続いて床を歩く小さな足音。ぺたりぺたり。

昨日に比べれば体はさほど震えていない。いまや恵太にとって、幽霊より、失業生活が続き純子を失うことのほうが恐ろしかった。

キッチンで幽霊が満足そうに唸る。

「やっぱり馬だ」

ぺこぺこと金属を弾く音がする。アルミ缶の開け方がわからないらしい。

「うひゃ」

珍獣の野外観察をするように、こっそりふとんのすき間から様子を窺う。少女の幽霊が振り袖でダイニングテーブルを拭いていた。

幽霊はパンフレットを手にとったが「ふうん」と鼻を鳴らしただけで、またビーフジャーキーに戻ってしまった。カルピスをひと口すすり、再びパンフレットを眺めはじめる。「むむむ」幽霊が呻く。恵太はふとんの中で耳をそばだてた。

「の……ぱいおにあ……のあゆみ」

パンフレットを音読してやがる。漢字は読めないらしい。カナだけを拾い読み。

「は……めーかーとして……めざまし……」

放っておいたらいつまでもそうしている気がした。「背に腹は替えられない」乏しい格言金言のボキャブラリーからそんな言葉を引っ張り出し、恵太は勇気をふるって声をかけた。

「あのー、もしもし」

案外に普通の声が出せた。

「ふぇぇぇっ」

幽霊が悲鳴をあげてカルピスを噴き出した。

「げぽげぽげぽげ」

婆さんみたいな声でむせている。あまりに苦しそうだったから、思わず駆け寄って背中をさすってしまった。幽霊の体は冷たいとばかり思っていたのだが、冷たくも温かくもなかった。生身の体温とも違う。室温と同じだ。

「だいじょうぶか」

逃げ出そうとする幽霊の鼻先に新しいカルピスウォーターを差し出した。幽霊がおあずけ犬みたいに静止する。いつしか恐怖心は消えていた。カルピスを喉につまらせる大福もちみたいな顔の幽霊なんてたいして怖くない。幽霊の視線が押入れとカルピスの間をうろうろし、結局、そろりと手を伸ばしてきた。

「聞きたいことがある。この写真を見て、どういう人間だか教えて欲しいんだ」

カルピスを両手で抱えて押入れへ逃げようとする幽霊に声をかける。包装紙のまま食べていたビーフジャーキーのビニールをむいてやり、ペンライトのように振って誘惑した。

恵太は幽霊の餌《え》づけに成功した初めての人間かもしれない。三分後にはダイニングテーブルで、ビーフジャーキーをくわえた幽霊と向かい合わせに座っていた。幽霊は目を糸にしてパンフレットを眺めている。ビーフジャーキーをなごり惜しそうに口から離すと、低くて細い、すきま風のような声を出した。

「情け知らず。欲張り。説教好き。色好み」

「なるほど」確かにそんな感じだ。「こっちは」

「情け知らず。欲張り。見栄っ張り。色好み」

「これは？」

「欲張り。見栄っ張り。説教好き」

「みんな同じじゃないか」

「ほんとうだからしかたない」

言われてみれば、自社の会社案内で自慢げな経営理念を謳《うた》い上げ、自分の顔写真をでかでかと載せたがる人間には、そういうやつが多そうだ。幽霊に聞いてみた。

「どうしてわかる？」

「相学」

そうがく？　人相学のことか？

「どこで覚えた」

「父に教わった」

「両親はどうした」

聞くまでもなかった。娘が明治生まれでは、どっちにしろ生きているわけがない。

「亡くなった。父はあたしが七《なな》の年、母はあたしが十《とお》の年」

「それで?」

なぜ幽霊の身の上話など聞こうと思ったのだろう。このところ面接トーク以外、人とまともに話をしていなかったせいかもしれない。

「島原四ケ村へ行った。善次郎おじのうち」

「九州の島原? それがなぜここへ?」

幽霊が首をかしげる。

「よくおぼえていない。あたしはあたまがわるいから。あたまも器量もわるい、ごくつぶしだから」

「穀潰し——誰がそんなことを言ったんだ」

「誰だっけ……」

ちよと名のる幽霊が顔を上向けて白目を剝く。幽霊の本分にめざめてこちらを脅しているつもりなのかと思ったが、そうではなく、懸命に思い出そうとしているらしい。

「あ、善次郎おじだ」

天井に何か文字が書かれていて、それを読み上げているかのように言葉を続けた。

「ハルおばにもゆわれた……島原のうちにもっていった母のべべはハルおばにあげた。

あたしのべべは、いとこのみいちゃんとさわちゃんにあげた。父のお金は善次郎おじにあげた。もうあげるものがないから、ごくつぶし」

「ひどいな、それ」

「おまえはあたまがわるいから学校へゆかなくてよい。善吉の子もりをしろとゆわれた」

「それからどうした」

「そのあと……」ちよがぎゅっと目をつぶる。そして首を振った。「思い出せない。思い出そうとすると、おつむが痛くなる」

「最後に覚えているのは？」

「土の中。めめずが体をはってこそばゆかった。おけらがかんでいたかった。だれが助けてくれたんじゃろ」

なんだか、かわいそうになってきた。

「あんたはもう死んだんだよ。幽霊なんだ」

ちよの厚く小さい唇がひよこみたいに尖る。

「人聞きのわるいことゆうな」

「だって、土の中にどのくらいいた？　みみずやおけらに体を食われたんだろ」

尖った唇が少しずつもとに戻る。そして、ぽかんと開いた。

「あ」

心細そうな目を恵太に向けてくる。

「いまはもう明治でも大正でもない。平成だ」

「何をおっしゃっているのかわかりませんです」

説明してやった。ちよが死んだらしい大正の次が昭和であり、いまはその次の平成であること。日本が戦争に負けたと言うと、柳の葉のような目が広葉樹の葉っぱになった。

「乃木《のぎ》大将がお亡くなりになったからだな」

「いや、そういう問題じゃないけどさ」

「あたしはどうしたらいい」

そう言われても困る。ちよの口と眉が「へ」の字になる。唇の下に小さな梅干しができた。

「……泣くなよ」

「うぃいっく」

「泣くなってば。俺が責任もって成仏《じょうぶつ》させてやるからさ」

つい言ってしまったが、実はどうすればいいのか見当もつかなかった。とりあえず思いついた言葉を口にしてみる。

「まず、自分がどこで、なぜ死んだのか、それを思い出してみ。それが先だ」

「あい」ちよがこくんと頷く。

「それと、ひとつだけ約束してくれ。出てくる時にはひと声かけて欲しい。やっぱり怖いから」

「あい」

こうして恵太は幽霊と同居するはめになった。

＊

それからちよは毎晩現れた。

現れるのはたいていふとんに入ってすぐだ。恵太がダイニングテーブルに置いた食物を飲み食いしにくる。自分からは声をかけてこないが、話しかけて欲しいらしく、カルピスをすすって何度もため息をついたり、ビーフジャーキーやおにぎりに関してぶつぶつひとり言をつぶやいたりする。あんまりうるさい時には、ふとんから顔を出して答えてやる。「それは牛だ」「ビニールは食えない」。おにぎりの値段が一個百二十円だと教えてやった時には、梅干しの種を喉につまらせた。

住めば都はるみ。三〇一のヨマンさんの言うとおりだ。慣れてしまうと、幽霊なんて案外気にならない。あの緊張感のない容姿と行動を見るかぎり、悪霊の類《たぐい》でもなさそうだし。

ヨマンさんとその十一人の仲間とは会えば挨拶をかわすようになった。

こんにちは。

スラマソレ。

名前は教えてくれたが、ヨマンさんは出身地を「南のほう、蒲田より先ね」としか答えてくれない。日本には半年前に観光で来たそうだ。「観光のついでに働いているのよ。国でもショベルカーの運転してたけど、こっちのほうが金になるからね」デフレ日本の生活は、ヨマンさんの言葉に従えば、スルガ・スルガだそうだ。そこで兄弟や親戚も呼んだとか。窓を開けたままにしていると、朝晩、すさまじい香辛料の臭いが飛びこんでくるし、時おり壁越しに読経風の合唱が聞こえてきたりするが、困るというほどじゃない。

むしろ始末が悪いのは三〇三のほうだ。深夜に突然、奇声をあげる。一晩中歩きまわる音がしたり、ぶつぶつと何かつぶやく声が続いたりすることもある。ほとんど外出しないらしく、最初に挨拶をかわしたきり顔は見ていない。かなりアブナイやつだと思う。

最近の恵太は純子が新しい携帯の番号を連絡してこないことにも楽観的だった。合理的な考えが見つかったからだ。

海外旅行だ。毎年、中元商戦前のこの時期、早めの夏休みをとって外国へ旅行するのが純子のライフスタイルであることをすっかり忘れていた。ふだん休みが少ない分、百貨店は十日以上の大型連休がとれるのだ。

去年は恵太がむりやりスケジュールを合わせて二人でモルジブへ行った。次はニュージーランドへ行こうよ。帰りの飛行機の中で肩を寄せてきた純子のせりふにはこんな続きがあったはずだ。「新婚旅行で」。

そうして月が丘マンションに来て二度目の週末が来た。

恵太はレンタルショップで借りた二本のビデオを抱えて、いそいそと階段を昇った。こんばんは。スラママラン。いつも踊り場にたむろしているヨマンさんとその仲間たちへの挨拶もそこそこに部屋へ飛びこむ。

おもむろにビデオデッキへ挿入したのは、レジに出す時、上に積んだフランス映画ではなく、下のほうの『若妻むんむん裸エプロン』だ。なにせ恵太はまだ二十八。純子とは四カ月ごぶさただった。冒頭の着衣のままのドラマシーンは早送りし、本題に入ったところでズボンを下ろして陰茎を握りしめた。

「おじゃまいたします」

「うおう」

一瞬にして萎えた陰茎をティッシュの箱で隠す。ちよは両手で目を覆ったが、中指と薬指の間がやけに広い。

「いま忙しいんだ、後にしてくれ」

「カツドウ、見たい」

若妻がキュウリを料理以外の目的に使おうとしている画面を指さして言う。どうやらテレビのことらしい。

「活動写真、見るのははじめてだ」

キュウリがゴーヤになっていた。あわててテレビ画面に切り替える。動物ドキュメンタリー番組が映った。

「おお」ちよが感嘆の声をあげた。「いのしし」

「違うよ、カバだ」

「おおう、リュウだ。おそろしや」

「キリンだよ」

ズボンのファスナーを上げながら、画面から五十センチの距離で正座をしているちよに声をかけた。

「ところで、思い出したか、自分がなんで死んだのか」

「ひひだ、ひひ」

「ゴリラだ。なぁ、早く思い出してくれ。いつまでもここに居られても困るし」

ようやくこちらを向いたちよの眉と唇は、への字になっていた。

「いや、居てもいいんだけど。やっぱり、ちょっと不気味だしさ」

「あたしが不器量だから？」

「そういう問題じゃなくて」

「ごくつぶしだから？」

「いや、ちよは穀潰しなんかじゃない。不器量でもない。よく見れば愛嬌のある顔だ」

なぐさめたつもりだったのに、なにを勘違いしたのか、乱れた裾を引っぱって、短い足を隠し、警戒する横目を向けてきた。

「誤解するな！」

番組が終わりCMになった。恵太がリモコンを手に取って次々と違う画面を呼び出すと、ちよは悲鳴に近い歓声をあげて拍手をする。

「どこがいい。好きなのを見ていいぞ」

「さっきの裸の男と女」

やっぱり悪霊かもしれない。

*

その後の一週間で、三社から連絡があった。二つは中途採用フェアで感触のよかった流通関係の中堅企業。もうひとつはハローワークで見つけた絵本や児童書を細々と出している小さな出版社だ。学生時代、仲間とミニコミ誌づくりをしていた時のことが懐かしくて、ひやかし半分に面接を受けたのだが、貧乏くさい雑居ビルの中の古新聞・古雑誌集積所みたいな社内を見て、いっぺんに夢から醒めてしまった。

どこも採用を前提にもう一度会いたいと言う。何カ月も背負っていた荷物を、やっと下ろした気分だった。誰かとむしょうに話がしたくて、恵太は久しぶりに携帯を手にとった。まず学生時代の仲間たちと話し、それから元の職場の同僚にかける。

お前、辞めて正解だよ。うちは安泰だと思ってたのに。ついにヤバくなってきた。愚痴っぽい話に適当にあいづちを打っていたが、聞きたいのはもちろんこいつの愚痴じゃない。みんなの近況を尋ねるふりをしながら、さりげなく純子のことを聞いてみた。社内恋愛にはいい顔をしない会社だったから、二人がつきあっていることは同じ部内のこの男には話していない。

「そういえば永嶋は？　永嶋純子、どうしてる」

――永嶋？　有休とってる。また海外旅行だとよ。優雅なもんだな、二課は。やっぱり。今年はそれどころじゃなかったけれど、来年こそニュージーランドに連れて行かなくちゃ。

――誰と行ったか知ってるか？

「え？」

――たぶん、駒沢さんとだぜ。最近、あの二人やけに接近してるから。ばればれだよ。有休とった日にちも同じ。ニュージーランド何日間なんてパンフレットを二人で眺めてたし。婚前旅行ってやつじゃねえの。

「ああ、そうなんだ」

胸の中にボウリング球を放りこまれた気がした。

——駒沢さん、いまや一課のエースだからな。課長の家の草むしりまでしてるってよ。ほら、永嶋ってあんな顔して、結構、計算高いとこあるじゃん。男選びがシビア。それで、どうしたって、再就職？

平静を装おうとしたが、うまくいかなかった。適当に言葉を濁して電話を切った。ビールを飲もう。いや、もっと強い酒がいい。コンビニに行き、ウイスキーのフルボトルを買った。ついでに買ったカルピスのプルトップを開け、ビーフジャーキーの包装をはがしてテーブルに置く。一人で飲んでたってつまらないじゃないか。

ほどなく背後で声がした。

「食べていいか」

「ああ」

「かるぴすのんでいいか」

振り向かずに頷いた。ハムスターみたいに遠慮がちにビーフジャーキーをかじる音を聞きながら、無言でグラスをあおる。沈黙に耐えられなくなったのは幽霊のほうだった。

「八時から、くいずみりおん見てもいいか」

「ああ」

「あの活動弁士の顔がけっさくなんだ。はいなるあんさーってゆうんだ」

ちよはすっかり現実世界になじんでいるようだ。恵太以上に。羨ましい。

「はいなるあんさーってなんだろね」

「知らん」

「そんなに飲んでは体に毒だぞ。洋酒はつおいから」

死んだばあちゃんみたいな口調で言う。

「いいんだよ」

「なんか今日はへんだな」

「なんでもない……そうだ」無理やりつくった笑顔をちよに向けた。「相学というやつで見て欲しいのがあるんだ」

アルバムの中から写真を何枚か取り出した。純子の写真だ。

「こんなに化粧をしていては、よくわからん」

「わかる範囲でいい」

「金甲《きんこう》がおおきいな。強欲のしるしだ。魚尾《ぎょび》の数からすると、多淫《たいん》。下停《かてい》に魔多し
――」

相学の専門用語だけははっきり覚えているらしい。こんな時にかぎって、年寄りじみた難解なしゃべり方をする。

「もういい、てっとり早く言うと?」

「ろくな女でない。見栄と欲ばかり。男を食いつくす相だ」

「嘘じゃないだろな」

「はいなるあんさー」

「でたらめを言うな!」

ちよが椅子からころげ落ちた。細い目をぱちくりさせて恵太の顔をのぞきこんでくる。

「なぜ、どなる?」

「……悪かった。どうかしてたんだ」

ちよにテレビをつけてやる。恵太自身は顔は向けていても画面を見ちゃあいなかった。頭に浮かぶ別の光景を眺め続けていた。いたたまれなくなって、司会者と一緒に目を剝いているちよに声をかけた。

「風呂に入ってくる。勝手にやっててくれ」

体の感覚がなくなるまで冷たいシャワーを浴び続けたのに、頭はいっこうに冷えなかった。胸のボウリング球は十六ポンドになった。

風呂から出た時にはクイズ番組が終わり、テレビ画面は天気予報になっていた。明日の天気には興味がないらしい。ちよは箪笥の上で足をぶらぶらさせて歌を歌っていた。いつもの婆さんみたいな声じゃない。高く澄んだきれいな歌声だった。

「なんていう歌だ？」

「かちゅーしゃのうた」

「いい歌だな」

「よく、蓄音機で聞いた。はなさんと」

「はなさんって誰？」

ちよはしばらく天井を見上げてから、寂しそうに言った。

「忘れた」

テレビの画面が海外のグルメを紹介する情報バラエティ番組になった。昔はアイドル歌手だったレポーターが、どこかの南の島で原住民の迷惑を顧みず、はしゃぎ声をあげている。

ちよが箪笥をすべり降り、ふたたびテレビにかぶりつく。レポーターが豚の丸焼きに悲鳴をあげた。

——きゃあ、かわいそぉぉ。

だったら食うな。テレビがのべつ垂れ流している万年躁状態の声なんか、すっかり慣れっこのはずなのに、今夜はやけに耳ざわりだった。

ぽつりとちよが言った。

「ここだ」

「ここがどうした」

画面を指さす。さっきのレポーターが東南アジアのリゾートで、山盛りのトロピカルフルーツに嬌声を発しているところだった。

——うわっ、おいしいっっ〜。

「あたしはここで死んだ」

「だってここ日本じゃないぞ」

——すっごいゴージャスです。

「山のかたちがおなじだ」

「そんなわけがないだろ。よく考えてみ」

何かを思い出そうとする時、いつもそうするように、ちよが天井を仰ぐ。目を半分閉じて、おかっぱ頭を左右に振った。

「……善次郎おじのうちに男のひとがきた。あいすくりんを食べさせてくれるとゆわれて長崎へいった……きれいなべべを買ってくれて、船にのった」

レポーターが急に神妙な顔になって、台本を棒読みしているらしいせりふを並べはじめた。

――ここはかつて「からゆきさん」と呼ばれた女性たちの娼館があったところです。貧しさゆえ日本から遠い異国へ売られた悲運の女性たちのお墓がいまも残って――

「ああ、そうだよ。おしまさんのじゅうじかのおはかがある」

「……からゆきさんだったのか」

善次郎とかいう叔父が売り飛ばしやがったんだ。恵太の言葉の意味がわからなかったらしい。ちよがぼんやり見返してくる。

「ここで何をしていたのか覚えてないのか？」

ちよが天井を見上げたから、あわてて言った。

「あ、いいよ。思い出さなくて」

思い出さないほうがいい。ちよはおかっぱ頭を揺らして頷き、大切そうにカルピスの残りをすすった。こうして見ると本当にまだ子供だ。数え年だろうから中学一、二年。こんな子供を売り飛ばしたり、娼婦をやらせたりしていたなんて信じられない。

とんでもないやつらだ。恵太の重い胸から、何かがすとんと胃に落ちた。

「……ひどいな」

お笑いタレントが罰ゲームの激辛料理にオーバーなリアクションをしている画面に目を見張っていたちよが、ぽつりとつぶやいた。

「思い出した。まらりあだ」

「マラリア？　病気の？」

「そう、あたしはまらりあで死んだ」あっさりと言う。「ふつうは療養所へゆくのだけれど、あたしはへんな小屋につれてゆかれた。不器量でお茶ひきだったから。くすりがもらえなくて、かなしかった」

「殺されたも同然じゃないか。相学ができるくせに、親戚や売春宿の人間が、どんなやつらか、わからなかったのか」

八十年以上前の出来事に自分が怒ったってしかたがないのに、怒らずにはいられなかった。

「テダ・アパアパ」

ちよはどこかで聞いたことのある言葉を口にしただけだ。

「アパアパじゃないだろう。怒れよ。親戚に財産をむしりとられて売り飛ばされたんだぞ。医者代をケチられて、薬ももらえなくて、見殺しにされたんだぞ。もっと怒らなくちゃだめだ」

「おこる？」ちよが眉をつり上げたり、唇を突き出したり、歯を剝き出してみせたり、目玉をぐるりと動かしたりする。ひとしきり百面相をしてから言った。「どうするのだっけ。忘れてしまった」

恵太の胃袋の中の何かが発熱し、暴れ出した。

「なんでそうなる。なぁ、あんた十四年生きて、何か楽しいことがひとつでもあったか」

天井の木目を眺めながら、ちよが言う。

「あいすくりん、おいしかった。船旅行、たのしかった」

「たったそれだけか？」

「父と浅草へ行った。かたぐるましてくれた。ころっけ食べた。おいしかった」

「それっぽっちか？」

ちよの唇がとんがり、頰が赤く染まった。

「母と鉄道にのった。洋服買ってくれた。おしるこ食べた。おいしかった」

「ほら、それだよ。いまあんたは怒ってる。その調子だ。もっと怒れ」

ちよは壊れたCDコンポのように言葉を吐き出し続ける。

寅之屋のようかん、おいしかった。きゃらめる、おいしかった。父のおみやげのおすし、おいしかった。南洋さんの海、きれいだった。れこーど、いっぱいきいた。はなさんに断髪がにあうとゆわれた。西洋さんに歌がうまいとほめられた。やしの実、おいしかった。えび、おいしかった。ゆうやけ、きれいだった。波の音、きもちよかった。ずっときいてた、さいごまで。

息もつかずにしゃべり続けるものだから、そのうち激しくむせはじめた。恵太はちよの室温と同じ温かさの背中をそっとさすった。

「わかった、もういいよ。もういいから。俺が代わりに怒ってやる」

恵太は立ち上がり、窓を開けて、腹に力をこめた。そして夜空に向かって叫んだ。体の中の重くて熱いものを吐き出すように。

「馬《ば》っ鹿《か》やろぉ〜っ」

一階の八龍会の窓が開き、凄まじい罵声が飛んできた。二階のどこからかは猫のわめき声みたいな女の声。二階にも住人がいることを初めて知った。三〇一からは、なぜか拍手。

ちよが目をぱちくりさせて恵太を見つめている。やけに大人びた顔と静かな声で言った。

「今日ははやく寝たほうがいい」

「ああ」

「あたしもそうする」

押入れのふすまを開けようとするちよに声をかけた。

「明日はビーフジャーキー、もっといっぱい買ってやるから。腹一杯食わしてやる。カルピスもだ」

「ありがたや」

＊

近藤不動産から電話があったのは、その翌朝だった。

――連絡遅れましてたいへん恐縮です。

何か言おうとする前に、恵太の口を塞ぐように捲《まく》したてはじめた。

――お怒りごもっとも。そちらのマンションに関しては、前々からいろいろ苦情をお聞きしてはおりまして、なんとかせねばと思っておったところなのでございますよ。

ご安心ください。良い霊媒師を手配いたしましたから。

「もういいよ、気にしてないから」

――いやいや、それはいけません。あそこはほとんど全室うちが仲介してますんで。いつまでもああしておくわけにもいきませんのでね。除霊費用のほうはご心配なく。ちゃんと当方が半分負担いたしますから。

「いいよ、必要ない」

――六四でどうです？

「いいんだってば」

電話を叩き切った。いまさらもう遅い。幽霊の身の上話を聞き、成仏させるという約束までしてしまったのだから。

昼近く、コインランドリーから戻ると、ボディに近藤不動産と書かれたバンがマンションの前に止まっていた。嫌な予感がした。階段を一気に駆け上がる。あんのじょう恵太の部屋のドアが開いていた。

部屋の中には近藤不動産ともう一人、年を取りすぎたゴスロリかと思うような黒いドレスの痩せこけた女がいた。

「あんたたち、何してる」

「ああ、どうも。お留守でしたので、しかたなく。いま隣の除霊をすませてきまして。先生の話では、このフロア全部に憑《つ》いてるそうなんで」

女は恵太には目もくれず、安物のＳＭグッズみたいないかがわしい道具を振りまわして、陰気な声を出した。

「うむ、やはり見える。悪霊だ」

箪笥の上にちよがいた。猫のように体をちぢめて震えている。すぐ目の前にいるのに霊媒師も近藤不動産も平気な顔をしていた。ちよは恵太以外の人間には見えないらしい。見当違いの方角に目をこらして、本人自身が悪霊に見える痩せて顔色の悪い女が重々しく宣言した。

「この世に恨みを残して死んだ男の霊だな」

この女はいかさまだ。だいじょうぶ、ちよに何かをできるはずがない。

いかさま霊媒師が怪しげな祈禱《きとう》を始める。しかし、言ってることはでたらめでも祈禱にはなにがしかの威力があるらしい。ちよの体の震えが激しい痙攣《けいれん》になった。おかっぱの髪を洗車モップのように振っている。

「ちょ、ちょっと待ってくれ」

「ご安心を。費用は七三で結構です」

「いいって言ってるだろ。そいつはいかさまだ。俺が見たのは女だ。小さな女の子なんだよ！」

霊媒師と近藤不動産の前に立ちふさがってドアに指を突きつける。近藤があきれ顔をし、霊媒師はそしらぬ顔で呪文を唱え続けた。

「やめろ、出ていけ！」

遅かった。振り返ると箪笥の上にいたはずのちよが消えていた。

午後七時五十分。テーブルにビーフジャーキーとカルピスウォーターを置いた。ちよのお気に入りの動物ドキュメンタリーがもうすぐ始まるからだ。

だが、八時を過ぎてもちよは現れなかった。コンビニでおかかと梅干しのおにぎりを買って置いてみた。動物ドキュメンタリーが終わってしまったから、九時からのクイズ番組をつけてみた。しかしいくら待っても、ちよは現れなかった。

恵太は小さなため息をつく。異国でたった十四歳で死んだ少女を、もう一度死なせてしまった。

＊

二日後、恵太は就職先を決めた。銀曜社。社員十人ほどの零細出版社だ。給料は安いし、ボーナスもなく、職場は汚いが、金をもて余した客に何百万もする時計や毛皮を売りつけたり、上司の家の草むしりをするより、ずっとましな仕事に思えた。

住まいも会社の近くに引っ越そうと考えている。今度は風呂なしで構わない。もうこのマンションに長く居たくなかったのだ。

だからベッドは、前々から欲しがっていたヨマンさんたちにプレゼントすることにした。ベッドがあれば上に二人、下に二人、畳一畳分で四人が寝られるそうだ。解体したベッドを隣室へ持って行くと、ヨマンさんは日本人には真似のできない顔いっぱいの笑顔で喜んでくれた。

「ありがと。ほんとにいただいちゃっていいのかしら」

ヨマンさんには日本人の彼女ができたらしい。そのせいか日本語が急速にうまくなった。「よかたね。コンドウさんに聞いたよ。ブダもう出ないね」

「……ええ」

「もうテダ・アパアパね」

ヨマンさんの仲間たちも声をそろえる。アパアパ。恵太はちっともアパアパじゃなかった。ヨマンさんに聞いてみる。

「ねぇ、ヨマンさん、お国でもショベルカーの運転手だったって言ってましたよね」

「そうよ、向こうでも同じ仕事。ある日、土掘ってる時、急に思いついたのよ、ニポン行こうって。正解ね。ニポンに来たとたん、ひどい肩コリも治たね。なぜかしら。人間って不思議」

「まったく」不思議だ。

「わたしの国にはブダが多い。だからわかる。あれ、悪いブダね」

「そうかな」

「うん、わたしにはブダ見えないけど、音は聞こえた。ブダの見えるわたしのおばあさんから聞いたよ。夜中に騒ぐブダは、とても悪いブダね」

そんなことありませんでしたよ、というセリフが口をついて出そうになった。ちよは悪霊なんかじゃない。人を呪ったり恨んだりしてばかりいる悪霊は俺たちのほうだ。

「コンドウさんも言ってたよ。あのブダは、お勉強が苦しくて部屋をガス爆発させたそうよ。まわりの人もいっしょに死なせようとしたのだと」

「え？　なんのこと」

「三〇三のブタのことね。あなたの隣はブタの部屋と、わたし言ったではないか。しっかりしてよ、かいしょーなし。あなたって人はもう、いつだって馬の耳に念仏なんだからぁ」

「……はぁ」

恵太は三〇三号室の前に立った。どういうことだ？　ノブに手をかけたら、ドアが開いた。中には誰もいなかった。恵太が見たはずの勉強机もポスターも「早大入試まであと百五十日」という貼り紙もない。いや、そもそもまともな部屋とは呼べなかった。

浴室のドアがない。ダイニングの天井と壁は真っ黒に焦げている。窓ガラスはすべて割れ、ガラスのかわりにビニールシートが張られていた。玄関にいつか恵太が渡したギフトタオルだけがぽつんと落ちている。

信じられない。同じマンションにもう一人幽霊がいたのだ。ここは本当にどういうところなのだろう。特殊な磁場の上に建っているのだろうか。

ということは、ちよはとばっちりを受けて消されてしまったんだ。かわいそうに。幽霊になってまで幸薄いなんて。

ベッドがなくなって、がらんとした部屋は、一人には広すぎる気がした。恵太はため息をついて、のろのろとテーブルの上のビーフジャーキーを片づける。知らず知らずのうちに歌を口ずさんでいた。うろ覚えのカチューシャの唄だ。

カチューシャかわいや
わかれのつらさ
つらいわかれの　涙のひまに

その後はなんだっけ。うまいとはいえない恵太の歌を追いかけて、もうひとつの歌声が聴こえてきた。高く澄んだ高音パートの管楽器みたいな声。

風は野を吹く　日はくれる

ゆっくりと振り返る。箪笥の上にちよがいた。

「無事だったか」

「こわかったから、ずっとおしいれにかくれてた」

「……よかった」

「なぜよろこぶ。あたしはゆうれいなのに」

「いや、せっかくちよを成仏させるいい知恵が浮かんだのに、消えちまったのが残念でさ。いい考えがあるんだ。父と母の墓を見つけ出してやる。一緒にそこへ行こう」

「ありがたや」

「それまではここに居ていいぞ」

「はいなるあんさー？」

「ファイナルアンサー。あんたにはいろいろ借りがある気がするからさ」

ちよが短い足をぶらぶらさせて言った。

「テダ・アパアパ」

老猫

秀雄叔父が亡くなったのは、一月の半ば、東京では珍しい大雪の日だった。心筋梗塞。享年六十五。現代の平均寿命を思えば、死ぬには早すぎる年齢であったかもしれないが、残念ながらその死を悼む人間も惜しむ人間もいなかった。秀雄叔父は妻も子も定職も持たない孤独の人だったからだ。

唯一の甥にあたる私にしても、秀雄叔父に関する記憶は薄かった。会ったのは十年前、父親の葬式の時が最後だろう。自分の兄の葬儀なのに弔問客のようにふらりと現れ、誰と話すでもなく姿を消し、私の母や他の親族にずいぶん顰蹙《ひんしゅく》を買っていた。

それ以前で覚えている叔父の姿といえば、少年時代、私の生家を何度か訪れた時に見た、私の父に説教めいた言葉をかけられて縮こまる痩せた背中や、父から幾枚かの紙幣を手渡された時の照れ隠しとも苦笑ともつかない、まぶしさに目を細めるような表情と、服や鞄に染みついていた絵の具の匂いぐらいだ。

秀雄叔父は画家だった。美術学校を中退し、名ばかりの絵画塾を開いていただけの人間をそう呼べるとしたらだが。叔父は生涯一度も作品を発表していなかった。

死の二日後、私が形ばかりの喪主となり、ひとにぎりの親戚だけで葬儀を行なった。叔父は住所録を持っておらず、友人や知人に連絡をとるすべもなかった。そもそもそんな人間はいなかったのかもしれない。

そういうわけで、秀雄叔父はひそやかに生き、しのびやかにこの世を去った。古い一軒の家と、多くの油絵と、一匹の猫を遺《のこ》して。

*

「やっぱりいいわぁ、一戸建てって」

キッチンで典子が声を弾ませる。昨日、引っ越しを終えてから何度同じ言葉を聞いただろう。

「なんだか申しわけないよな」

ダイニングルームで段ボールの空き箱をたたむ私のこのセリフも、これでもう三度目か。誰に申しわけないのかわからないが、なにしろ他に近親がいないというだけの理由で、人の家を手に入れてしまったのだ。悪事を働いてしまったような後ろめたさを感じる。

「川嶋道夫さん、あなたがこの家の法定相続人です」

法律事務所から、そう聞かされた時には驚いた。叔父の財産処理を依頼したのは、むしろ借金があった場合を考えて、それを放棄するためだった。叔父の暮らしぶりからして、土地と家はとっくに手離していると思っていたのだ。都内とはいえ民家より雑木林のほうが多い場所で、邸宅も築五十年を超えていたから、相続税もたいした額じゃない。買ってもいない宝くじに当たったようなものだ。

突然の僥倖《ぎょうこう》が嬉しくないわけはなかったが、戸惑いのほうが大きかった。売却を前提に、マンションのローンを完済すべきか、春から私立中学へ通いはじめる娘の美紀の教育費として貯金すべきか、相談を持ちかけると、妻の典子は意外な言葉を口にした。

「せっかくだから住んでみない？　あれだけの土地とおうちはなかなかないもの。リフォームすれば、いい感じになると思うんだけど」

葬儀の時に初めて訪れたこの家を、ひと目で気に入ってしまったらしい。

百坪の敷地に、完成した当時はずいぶんとモダンな建物だっただろう洋風の邸宅。

結婚する前、住宅メーカーに勤めていた典子が言うには、昔の有産階級の邸宅として流行した「スパニッシュ様式」なのだそうだ。

建物は二棟あり、渡り廊下で繋がっている。玄関に近い離れは、父の父——私の祖父がかつて町医者をしていた時の診療所の名残だ。叔父はここをアトリエとして使っていた。

母屋はL字型の平屋で、それぞれ独立した造りのキッチン、ダイニング、リビングと居室が三部屋。叔父の暮らしが質素であったことは、テレビもエアコンもない邸内を見ただけでわかったが、清貧という印象はなく、むしろ優雅という言葉が似合いそうだった。

どの部屋も端々まで手入れが行き届いている。置かれた家具のあらかたは古くから使われているものだったが、ひとつひとつの趣味がいい。近頃のアンティークまがいではなく、使いこまれた本物のアンティーク。当初、故人の所有物を使うことをためらっていた典子は、家を点検し終えるやいなや、マンションから運びこんだユニット家具を空き部屋にしまいこみはじめた。

なにより典子を喜ばせたのは、キッチンが広く、申し分のない設備が整っていたことだ。叔父は料理に特別なこだわりを持っていたようで、ここだけは改装を重ねた跡

がある。冷蔵庫は独り暮らしにしては大きく、調理器具もプロ並みのものが揃ってい
た。食器棚の奥でフィッシュ・ポーチャー——魚料理専用の鍋だそうだ——を見つけ
た時、典子は小娘みたいな歓声をあげたものだ。
「今夜はちゃんと料理をつくるからね。いつまでもコンビニのお弁当やファミリーレ
ストランというわけにはいかないものね」
キッチンのドアから典子が笑顔を覗かせる。肉の焼ける香ばしい匂いが漂ってきた。
まだ午後の早い時間だというのに、荷物の整理を私に任せきりで夕食づくりをはじめ
たのだ。
「やけに張りきってるじゃないか」
「だって、前のマンションのコンロは火力が弱かったから。あれだとやっぱり料理が
おいしくできないのよね」
華やいだ声で、私や美紀には初耳の事実を気前よく披露する。叔父の死後まもない
家で暮らすことに私は落ち着かない気分を残したままなのだが、故人とは面識がない
せいか、典子は案外に頓着《とんちゃく》していない。二日前までの自宅がもう「前のマンション」
になっている。
私にとってここは田舎になるわけだが、祖父母は生まれる以前に他界していたから、

父が家族を連れて訪れることはまれだった。だから叔父の印象と同様、この家に関する記憶もあいまいで断片的だ。

最後に訪れたのはおそらく三十年以上前、小学生になったばかりの時分だ。覚えているのは、家全体に絵の具とテレビン油の匂いが漂っていたこと、太い梁《はり》が走る天井の高さと、梁の先の闇の濃さ、そして幼い私には恐怖すら感じさせた夥《おびただ》しい数の猫たちだ。

当時、叔父は少なくとも十数匹の猫を飼っていたはずだ。家の中のいたるところに、毛色も大きさもさまざまな猫たちが寝そべり、毛づくろいをし、じゃれあっていた。

久しぶりに見る叔父の家は、記憶の中よりいくぶん小さく、当然ながら古びて見えた。

三時間煮込んだビーフシチューが完成し、典子がダイニングテーブルに食器を並べた。

「うん、上出来。おうちが違うと料理も違ってくるのね。やっぱり、引っ越して正解」

皿のふちについたシチューを短い舌でちろりと舐めてから、典子はダイニングの隅に置かれたスツールへ目を走らせた。

「問題がないわけじゃないけど」

座部に刺繍が施されたスツールの上には猫がうずくまっている。ぼってり太った三毛猫だ。両眼には目ヤニがかさぶたになってこびりつき、たるんだ全身を覆った艶のない毛はところどころ抜け落ちている。叔父の飼い猫の最後の生き残りらしい。

ここでささやかな葬儀を行なった時も、この猫は突然の訪問者たちに驚く様子もなく、自分が主《あるじ》だとでも言いたげに悠然と昼寝を続け、火葬場から戻ると、いつの間にか姿を消していた。その時は突然喪主になってしまった慌ただしさで、猫のことはまるで忘れていたのだが、どこへ行っていたものか、私たちが引っ越してきた日、気づいたらいつの間にかダイニングのスツールの上で寝ていたのだ。

「保健所に連れて行くわけにもいかないだろ。猫とはいえ叔父さんの遺していったものは、大切に扱わなくちゃ、バチがあたる」

動物好きの美紀もさすがにこの猫は抱こうとしない。離れた場所から気味悪そうに眺めるだけだ。

「ピッピちゃん、だいじょうぶかな」

リビングに置いた飼育ケージの中のハムスターを心配している。

「平気だよ。猫といったって相当な齢《とし》じゃないか。ネズミどころか虫一匹とれやしないよ――」

美紀に睨まれてしまった。ハムスターをネズミ呼ばわりしたためだと気づいて、あわてて口をつぐむ。そういう年頃になったのか、最近なにかと父親の言動に手厳しい。

「キャットフードを買ったんだけど、ぜんぜん食べないの。銘柄が違うのかしらねぇ。トイレもないのよ。外ですましてたのかしら。明日、猫用トイレを買ってこなくちゃ」

新しいペットというより面倒ごとを背負いこんでしまった——そう言いたげな口ぶりで典子がため息をついた。

＊

月曜日の朝、私は目覚まし時計にせき立てられて、呻き声とともに寝床を抜け出した。二日間、引っ越し荷物の整理に追われた体が重い。しかも時刻はいつもの起床時間より一時間早かった。新しい住まいの難点は職場への距離だ。同僚から羨ましがられていた通勤時間が、いきなり片道一時間半になってしまった。

あくびをかみ殺しながらリビングのドアを開けた。いままでならとっくに制服に着替えているはずの美紀は、パジャマ姿のままでテレビを眺めている。東京西部にある私立中学に通いはじめた美紀の場合、通学時間はかえって短くなった。マンション近辺の夜道の危険性を嘆いていた典子が、引っ越しに積極的だったもうひとつの理由はこれだ。近所に住む友だちと離れるのを嫌がっていた美紀も、朝のアニメ番組をゆっくり観られるという点には不満がないようだった。

ダイニングのスツールでは昨日と同じ姿勢で猫がまるまっていた。眠っているのかいないのか、目を閉じ、鼻だけ動かして部屋の匂いを嗅いでいる。私も鼻をひくつかせた。珍しくテーブルにはかますの干物を載せた皿が並んでいる。わが家の朝食はいつもパンと決まっているのだが。

「どう？　今朝のメニュー。ちょっとがんばっちゃった。せっかくいいコンロがあるんだから、電子グリルじゃなくて網でお魚を焼いてみたくなっちゃって。以前、あなたのお友だちに送ってもらったの冷凍してあったから」

味噌汁をよそいながら典子が得意気な表情をした。

「あきれたな、冷蔵庫の中のものまで引っ越し荷物に入れてきたのか」

「節約しなくちゃ。家賃は要《い》らなくなったけど、税金を払わなくちゃならないから」

和食党の私に異存はないが、美紀はふくれ顔だ。

「お魚、やだ。あたし、スクランブルエッグがいい」

「だめだめ、食べなくちゃ」

美紀が下唇を突き出す。典子がキッチンへ立ったすきに、猫の鼻先にこっそり、食べ散らかした干物の残りをさし出していた。

猫が薄く目を開け、美紀の顔を睨んで、そこへ置けというふうに首を床に振り向ける。やけに人間じみたしぐさに、私は叱るのも忘れ、美紀と顔を見合わせて笑ってしまった。老猫はそれまでの緩慢な動作が嘘のような素早さで飛び降り、激しく顎《あご》を動かして骨を噛み砕きはじめた。

「こら、美紀、何してるの」

典子の声が飛んできた時には、猫はもう最後の一片を飲み下していた。

「ほら、見て。すごいすごい。お腹すいてたんだね」

「すごいすごいじゃないでしょう」言葉では娘をたしなめながら、典子の視線も舌なめずりをしている猫に釘づけになっていた。「あらあら、キャットフードは全然食べないのに。もしかしたら、この猫、こうやって人からお魚をもらってたのかもしれないわね」

美紀は両手を広げて「セーフ」のポーズをし、私に得意気な顔を向けてくる。肩をすくめて苦笑するしかなかった。前足を器用に使って口をぬぐっている猫に典子が首をかしげる。

「そういえば、このコの名前、何ていうのかな」

「さぁ」聞かれても困る。

「名前ぐらいつけないと」

美紀がじっと猫を見つめる。猫も美紀を見つめ返した。猫の目が切れめのように細まると、美紀も目を細めて言った。

「フミ」

「え?」

「フミって名前はどう? 顔を見てたら浮かんだの。なんか、フミ〜って感じじゃない」

「そうか?」十二歳の少女にしてはずいぶん古風な名前を考えたものだ。いつも見ているアニメの登場人物の名前だろう。

「なんで? ダメ?」

「いや、別にいいけど。だけど、これはメスか?」

典子が猫の短い尻尾をつまんで、そっと尻を持ち上げる。

「そのようねぇ……」

「じゃあ、それでいいか」

私は適当にあいづちを打つ。もともと動物はあまり好きではないし、しいてどちらかと問われれば、典子と同じ犬派だ。

「よしっ、決まり」美紀がぱちんと手を叩いた。「フミだ」

自分が名づけ親になったためか、食べ残しを片づけてくれた連帯感からか、現金なもので美紀は初めて優しげな視線を猫に送る。

「フミ〜、今日からお前はフミだよっ」

猫が昔からの名前を呼ばれたように振り返った。

*

火曜日。私が新しい家の鍵を玄関のドアに挿し入れたのは、そろそろ日づけが変わる時刻だった。このあたりの夜は都心より冷えこむ。握ったドアノブの冷たさに身震いした。

玄関の灯は消えている。最終電車で帰宅した昨夜よりましな時刻だったが、典子は昨日で懲《こ》りて夫の帰りを待つのをやめたらしい。

路線バスの時刻を過ぎ、駅から徒歩になる夜は、朝の通勤より時間がかかる。勤務先の印刷会社は業界では大手の部類だが、不況の厳しい現実にさらされているのは他と変わらない。残り少ないパイの奪い合い。給料は据え置きなのに忙しさは昔以上だ。それでもノルマをこなさなければいつリストラの対象になるかわからない。もう若くない身には、やはり遠距離通勤はこたえる。

廊下も真っ暗だった。上がり口の左手に腕を伸ばしてスイッチを探ろうとして、それがマンションに住んでいた時の習慣であったことに気づき、暗闇の中でひとり苦笑した。この家の廊下には照明がないんだっけ。

リビングは、ローボードの上だけがほのかな光に包まれていた。ハムスターの飼育ケージに取りつけた暖房用のスポットライトだ。部屋に明かりをともすと、夜行性のハムスターが抗議をするように、敷きつめたおがくずを鳴らした。

引っ越し荷物で雑然としていた部屋が片づいていた。この家にもともとあったローテーブルやロッキングチェアに、マンションから持ちこんだソファが違和感なくレイアウトされていた。叔父がアンティーク雑貨を飾っていたリビングボードの中身は、見慣れたガラス製の食器に替わっている。

たいしたものだ。私などスイッチの場所さえ覚えられないのに、たった数日で典子は新しい家をすっかり自分のものにしている。女は男よりはるかに優れた順応力を持っているらしい。どんな所でもまたたく間に自分の居心地のいい場所に変えてしまう。美紀も十二歳にして早くもその能力を発揮しはじめているようだ。部屋に配置された小物の中に美紀のお気に入りのぬいぐるみやファンシーグッズが混じっていた。ただし、そのぶん、自分の役目のハムスターの世話がおろそかになっている。水槽式の飼育箱には糞と食べ荒らした餌が散乱し、クリップでとめたスポットライトが妙な角度にかしいだままになっている。給水器も空だ。

ダイニングの一角には、朝はなかったはずの荷物が積み上げられていた。本や衣類や日用品。叔父の遺《のこ》した品々だ。私は今朝がた、典子から言われた言葉を思い出した。

「叔父さんの使ってらしたもの、どうしましょう。私には決められないから、あなたが判断して」

どうせ捨てることになるのだが、その気分の良くない役目は実の甥が担《にな》うべきだということか。一日の疲労が体におぶさってきた。私は磨きあげられた木の床にため息を落とす。

ダイニングテーブルの上には、キッチンタオルをかけたサーモンソテーが載っていた。夕食はまだだったが、空腹をまぎらわせるためにコーヒーを飲みすぎたためか食欲はない。飯は食わずビールのつまみにすることにした。

缶ビールを片手に遺品の点検にとりかかる。衣類は可燃ゴミの袋に入れられ、本はすでにビニール紐でくくられている。典子がどうしたいのかは一目瞭然だった。豪華な装丁の画集や古いジャズのレコード盤などは捨てるには惜しい気もしたが、いつも仕事ばかりで、これといって趣味のない私がとっておいてもどうなるものでもないだろう。

日記や書簡、あるいは手帳のたぐい、どんな人間であれ、長く生きていれば残るだろうものはまるでなく、叔父の過去を知るものといえば、一冊の古いアルバムぐらいだ。『寫眞帳』と旧漢字の文字が型押しされたアルバムの表紙を開いてみた。

最初の頁《ページ》には、黄変したモノクロの家族写真が並んでいた。私の父も叔父もまだ丸坊主の少年で、祖父母はいまの私や典子より若い年齢のはずだ。私や母には仏頂面《ぶっちょうづら》しか見せたことがない父のおどけた表情に驚かされた。

次の見開き頁で叔父はいきなり詰め襟姿の学生になっている。戦中と戦後の写真どころではない時代が空白になっているのだろう。四歳年上の父と肩を組んでいる写真があった。昔は仲がよかったらしい。

美紀が使いはじめた角部屋がかつての叔父の居室だったようだ。ステンドグラスの嵌《は》まった窓の下の勉強机で、気取ったポーズをとっている肖像もあった。

私の知っている秀雄叔父は、顔色が悪く、皮膚の下から頭蓋骨が透けて見えるほど痩せた人だったが、若い頃の叔父は中肉で、白黒写真でも血色のよさがうかがえる健康そのものの容貌をしていた。叔父が「喧嘩でね」としか教えてくれなかった昔の怪我がもとだという、左眉が二つに裂けてみえる特徴的な傷痕もない。見開き三枚目。叔父は二十《はたち》前後に見えるから、もう私の父が職を得て家を出た後だろう。

大判サイズの一枚の中で、タートルネックのセーターを着た青年の秀雄叔父が猫を抱いている。その下の写真の寝そべった叔父は、何匹もの猫に囲まれてくすぐったそうな笑顔を浮かべていた。右頁にはアトリエで写した座像が一枚。古び方からみて、これも同時期に撮られたものだろう。祖父母の写真はない。二人とも父が二十代半ばの頃に相次いで亡くなっている。祖父は叔父と同じ心臓の病《やまい》。医者の不養生か、発作を起こした時に薬を手元へ置いていなかったのが死因らしい。祖母はその翌年に不慮の事故で亡くなっていた。ガス中毒死だ。

アルバムはそこまでだった。

後は空白。半世紀前の陰気な色合いの台紙には、どこまでめくっても写真がない。

画家は案外に写真好きであるものだが、叔父はそうではなかったらしい。

無意識に手を動かしているうちに、裏の見返しの切れ込みに、一枚の写真が挿《はさ》まっていることに気づいた。

若い女の写真だった。膝から上だけを写した中途半端なアングル。下に余白が残る古めかしいフレームが三枚目の写真と同じだから、これも叔父が二十歳ぐらいの頃のものか。一時代前の看護婦の制服を着ているところを見ると、祖父の診療所で働いていた女性のようだ。ほっそりした面立ちの、なかなかの美人だった。

からからからから。リビングでハムスターが回し車をころがす気ぜわしい音が始まった。新しい缶ビールをとりに再びキッチンへ行く。たかがドアひとつ開けるだけだが、疲れ切った身には、LDKがひとつながりだった以前の住まいに比べると、ひどくわずらわしい造りに思えた。

キッチンもすっかり典子のものになっていた。小柄な典子が自分の手の届くところに棚や壁掛けフックをつけ、食器棚から叔父の使っていた陶器が消え、犯しがたいルールにのっとっているらしい配列でマンション時代からの食器が並べられている。勝手口の手前にはおざなりに揃えた安物の猫の餌皿とトイレが置かれていた。

冷蔵庫の中を探っていると、ダイニングとリビングをつなぐドアが開く音がした。

だが。

「おう、起きてたのか」

壁越しに声をかけたが、返事はない。

「悪いな、しばらくは毎日こんな調子だと思う。また新しい仕事が入っちまって」

小さな舌打ちと低い呟き声が聞こえた。連絡もせずに遅くなったことを怒っているらしい。ダイニングへ戻ったが、誰もいなかった。空耳か。確かに人の気配がしたのだが。

プルトップを開けた瞬間、スツールに積み上げられた本の山に目が止まった。いちばん上に猫がうずくまっている。いつの間に入ってきたのだろう。ドアは閉まっていたはずなのに。

猫は私の存在を無視するようにそっぽを向いていたが、薄く開けた目で油断なく動きを監視しているのがわかる。近寄ると、耳を寝かせて、ほんの少し毛を逆立てた。

「怖がるなよ、お前のご主人様じゃないか」

抱き上げてみる。猫など抱いたことがないから、不安定な体勢に猫は小さく唸ったが、愛想のない無表情でされるがままになった。見かけとは違って、襟巻きをつまんだように軽い。太って見えるのはたるんだ皮膚と長い毛のせいだと気づいた。くすんだ黄色の楕円の中に焦茶の斑紋が浮いた、人の顔かたちのように見える背中の模様のあたりから、尖った肩甲骨が浮きだしている。見よう見まねで喉を撫ぜてやった。

「お前だけだな、俺を待っていてくれたのは」

尻を支えた左手に不快な感触がした。指を引き抜いてみると、血の色の混じった粘液がべっとりとこびりついていた。毛の抜け落ちた猫の下腹にフジツボを思わす無数の腫れ物ができていて、そこから膿《うみ》が吹き出しているのだ。

「うわ」

思わず猫を取り落とした。ティッシュペーパーで何度も指をぬぐう。だから生き物は嫌なんだ。猫は定位置のスツールへ戻り、もとの警戒する眼差しを私へ向けてきた。

＊

木曜日。玄関の灯はまだついていた。時計が午後十時前であることを確かめて私は息をついた。仕事は残っていたが、今日はつくりかけの書類とデータをアタッシェケースに突っこんで八時すぎにオフィスを出た。この家に住みはじめてから、まだ一度も団欒らしい時間がないのが不満のようで、朝、典子が私へ向けてくる視線が日ましに冷たくなっているからだ。

ネクタイをゆるめてリビングのドアを開けると、美紀の声が飛んできた。そうそう、通いはじめた中学校の話を聞いてやる暇もなかったっけ。

「おっかえり〜」

「おお、ただいま。どうだ学校は？　もう慣れたか？」

「突然なによぉ。いきなり言われたってさぁ。たまに早く帰って来たとたん、これだもん。いいよ、無理して、いいパパやんなくたって」

いつの間にか口ばかり達者になっている。美紀は両手で猫をかかえていた。毛の抜け落ちた薄汚い体を気にする様子もない。かさぶたになった皮膚に頬をすりつけているのを見て、眉をひそめたが、日頃、生き物には優しくなどと言っている手前、やめろとは言えない。顔をひきつらせて無理やり陽気な声を絞り出す。

「あれれ、どうした、ずいぶん仲良しじゃないか」

「うん、猫ってかわいい。けっこうおかしいよ、このコ。トイレをどうしてたと思う？」

美紀がダンスを踊るように老猫をかかえてくるりと回った。母親に似て小柄だから猫に踊らされているふうにも見える。猫の赤黒く爛《ただ》れた肛門が丸見えになった。私にはとても可愛いとは思えなかった。

「ほら、砂トイレを買ったのにちっとも使わなかったでしょ。今日、ママがトイレのドアを開けたとたん、このコが入ってきて、ぴょこんとベンキに飛び上がって、人間みたいにオシッコしたんだって」

私には美紀の言葉より、老猫の腹を膿で濡らしている潰瘍のほうが気になってしかたなかった。部屋の中に漂っているかすかな異臭の原因が、猫の爛れた皮膚であることに気づいて、もう一度顔をしかめた。

美紀が猫を仰向けに寝かせ、赤紫色の歯茎がのぞく口にキスをしはじめた時には、さすがに我慢できなくなり、やめろ、というかわりに言った。

「なぁ、猫の世話を焼くのもいいけど、ピッピのほうはいいのか。給水器が空じゃないか。巣箱の掃除はしてるのか？」

猫のために飼育ケージの外へ出してもらえないハムスターが、ヒステリックに回し車をころがしていた。

「片一方ばっかり可愛がると、やきもちを焼くぞ。動物っていうのは、案外、人間のそういう気持ちに敏感なんだから」

動物のことなどろくに知りもしないのだが、知り顔でそう言うと、私の言葉に合わせたようにハムスターがガラスにへばりついて外を眺めはじめた。生意気なようでまだまだ子供だ。その姿が哀れっぽく訴えかけているふうに見えたらしく、美紀は猫をあっさり置き去りにして、飼育ケージにすっ飛んでいった。

「ごめんよ、ピッピ〜。寂しかった？　フミ、ピッピの運動の時間だから、あとでね」

老猫は仰向けのまま首だけねじまげて、ケージの前の美紀へ無表情な目を向けた。

ダイニングにいた典子は携帯電話に指を走らせていた。以前住んでいた街の奥さん連中とメールで井戸端会議をしているのだろう。顔も上げずに声をかけてくる。

「夕飯は？」

「すませてきた」

「なんだ、電話してくれればよかったのに。金目鯛の煮つけだったのよ」

私の顔を一瞥しただけで典子の目は携帯へ戻る。あまり機嫌がよくないようだ。こういう時は、よけいな刺激は禁物。お得意さんと打ち合わせついでに食ったんだ、連絡できるわけないだろ、という言葉をのみこんで、ビールを取りにキッチンへ退散する。最初のひと口のゲップと一緒に典子へ言った。

「あの猫、ひどい皮膚病みたいだぞ」

「薬はつけたんだけどねぇ」

実家で長年犬を飼っていたためか、私ほど気にしている様子はない。

「だいじょうぶか」

家族にうつらないかという意味で言ったのだが、典子は違う意味にとったようだ。ようやく顔を上げて、首をかしげてみせる。

「あんまりひどいようならお医者さんに連れていくけれど。まぁ、かなり年寄りみたいだから、あんなものよ」

私の言葉をあっさりかわして、ダイニングの隅を目で示した。

「それより、あれ、どう？」

まだ手つかずの叔父の遺品の山のことだ。

「ああ、一応見た。アルバムだけはとっておかないとな。川嶋家の財産だから」

川嶋家の財産というところで語気を強めたのだが、旧姓菅原典子は鼻から細く息を吐き出しただけだ。

「食器はどうしましょ。いい品ばかりなんだけれど、私たちが使うのは、ちょっとね。お皿も器もみんな二つずつしか揃ってないし。お客様用に使えるものだけとっておけばいいかな。アンティークの小物も、素敵だとは思うけど、亡くなった人の思い出の品を飾っておくっていうのはねぇ」

典子のこの家にかける意気ごみは私の比ではない。さしずめ、かつての支配者を一掃し、新たな王朝を打ち立てる女帝といったところだ。

典子がインテリアに関してあれこれこだわりを持っていることを知ったのは、三年前まで同居していた私の母親が亡くなった後だ。母がいなくなってすぐ、わが家のソファやテーブルから手編みのレースが消えた。ここへ引っ越すのをためらわなかったのは、私ほど以前の住まいに愛着がなかったためかもしれない。

「それと、アトリエ。まだ手をつけてないんだけど。あそこも、お願いね」

女王様からの厳命だ。逆らうわけにはいかない。

「わかった、今度の休みに必ず」

「今度の休みって、いつ？」

「ああ、まぁ、そのうち」

皮肉たっぷりの口調に言葉を濁すしかなかった。

それからしばらく典子の愚痴につきあわされた。近隣の住人の誰もがよそよそしいという話だ。「あなたの叔父さん、ずいぶん変わった人だったみたいよ。親戚だって話すと、妙な顔をされるもの」それが私の責任であるかのように言う。想像のつくことだが、叔父には近所づきあいがまったくなかったらしい。

典子がバスルームへ行き、ようやく解放された私は、二人に嫌がられているために本数を減らしている煙草に火をつけた。ビールをウイスキーに切り替えることにする。サイドボードのボトルに手を伸ばした時に、気づいた。

リビングから閉め出された猫が、いつの間にかスツールに積み上げられた遺品の上に座っていた。スフィンクスを思わせる姿勢で身じろぎもせず、目ヤニで半ば塞がった目を前方に光らせている。自分の領土を犯す者を見張る小さな守護神に見えた。

＊

翌朝、私は美紀の叫び声で飛び起きた。寝室のドアを開け、廊下へ出ると、絞り出すような悲鳴が嗚咽に変わった。

リビングへ飛びこんだ私の目に最初に映ったのは、部屋の隅でうずくまる美紀だった。かたわらには典子がいて、美紀の肩に手を添え、背中をさすってやっていた。

「どうした」

顔をあげた美紀は目に涙をためていた。身をかばうように胸の前で両手を組み合わせている。

「怪我か？　怪我したのか」

腕を伸ばしたが、するりとかわされてしまった。しかたなく典子に目で問いかける。

典子はこわばらせた顔を飼育ケージに向けた。ハムスターがいなかった。

美紀が手の中に何かをかかえていることと、それが何であるかを、同時に悟った。

またもや嗚咽しはじめた美紀にかわって典子が言った。

「……ピッピが死んじゃったのよ。つけたままのスポットライトが巣箱の中に落ちちゃって……」典子は眉をひそめ、言葉を続けるのを少しの間ためらった。「……ライトの笠にはさまって……逃げられなかったみたい」

暖房用のライトに誤って触れてしまった時の熱さを思い出して、私は顔をしかめた。美紀の指の間から見えるハムスターの白いはずの毛は、真っ黒だった。あのライトは前々から危ないと思っていたのだ。だから気をつけろって言ったのに。

典子になだめられてようやく死骸を手離した美紀が、突然、私に叫んだ。

「パパ、何したのっ！」

「な、なんだよ、いきなり」

「パパしかいないじゃない。昨日、ピッピのおうち、いじったでしょっ。また酔っぱらってたんでしょ」

「……いや、だって、ライトになんか触ってないぞ」

美紀は泣きわめきながら、何度も同じ言葉で問いつめてくる。身に覚えのない私は首を横に振るしかなかった。昨日の夜、美紀はハムスターと遊んだだけで、あいかわらず飼育ケージはほったらかしのままだったから、確かに私は業《ごう》を煮やして、餌と水を取り替えたのだが、酩酊するほど酒を飲んではいなかったはずだ。

「返してよ、ピッピを返してっ」

こっちは通勤一時間半以上だ。いつまでもつきあっているわけにはいかない。苛立って、つい声を荒らげてしまった。

「いつまでも泣くな。死んじまったものはしかたないじゃないか。また新しいのを買ってやるから――」

言ってしまってから自分の言葉のデリカシーのなさを悔やんだが、遅かった。

「買ってやる?」案の定、美紀が涙に濡れた目で睨んできた。「ピッピはモノじゃないよ。パパはいつもそうだよ。冷たいんだ。愛情がないんだ。動物にも――」

そこで口をつぐんでしまった。私が言葉をかけようとするより早く背中を向け、ソファで寝ていた猫をすくいあげて、自分のほうがすがりつくように抱きしめた。

「いいよ、買ってもらうペットなんかいらない。もういいよ、フミさえいれば」私から顔をそむけて、猫に訴えかける。「ねぇ、フミ。ピッピが死んじゃったんだよ。せっかく友だちになれたかもしれないのにね」

美紀の腕の中で猫が低く喉を鳴らした。

＊

その夜、私は玄関からまっすぐ美紀の部屋へ向かった。片手には化粧箱。欲しがっていた定期入れ付きの財布が入っている。子供じみたいまの財布では恥ずかしいと言っていたから、少し大人っぽいものを選んでみた。朝の一件を謝り、和解するつもりだった。

ドアの前に立った私は、ノックしかけた手をとめた。中から話し声が聞こえたからだ。低く小さな囁き声がし、それに美紀が何か答えて、くすくす笑っている。

なんだ、友だちが来ているのか。一人っ子の美紀は、同級生を家に泊めたり、泊まりに出かけたりするのが好きで、川嶋家では朝起きると私の知らない少女が洗面所で歯を磨いていることも珍しくなかった。

キッチンを覗き、洗い物をしていた典子の背中に尋ねる。

「友だちが来てるのか?」

振り返った典子が首をかしげた。

「え? なんのこと」

「美紀だよ。部屋から話し声が聞こえた」

「来てないわよ。だって小学校のお友だちはもうご近所じゃないでしょう」

「あ、そうか」

贅沢に猫の餌用として使っている叔父の陶器をタオルで拭きながら典子が顔を曇らせた。

「まだ中学でお友だちができないみたいなの。入学したばかりだし、美紀は他の子と違って小学校からエスカレータ式に上がったわけじゃないから、しかたないんだけど」

典子は口にしなかったが、美紀は小学校低学年の一時期、イジメにあったことがある。いまでこそその心配はなくなったが、美紀の「友だち」は我が家では依然として、デリケートな問題だった。

「寂しいみたい。たぶんフミに話しかけているんだと思う。今日は放っておいたほうがいいわよ。仲直りするなら、もう少しきっかけを考えたほうがいいんじゃない?

女の子って、そういうストレートな表現は、かえって嫌がるものよ」

私の手にした化粧箱にちらりと目を走らせて言う。

「ああ、そうする」

私は違うことを考えていた。過労だろうか。毎日の残業と往復三時間半の通勤時間が消耗させているのは肉体だけではないらしく、このところしばしば頭が朦朧《もうろう》とする時がある。私には部屋の中のひそひそ話が、二つの声の会話に聞こえたのだ。

*

異臭が耐えがたいものになってきたのは、転居して十日ほど経った頃だ。毎晩、玄関のドアを開けるたびに、鼻をすすりあげ、顔をしかめるのが私の日課になった。

「トイレのドアを開けっ放しにしておくわけにもいかないから」と典子が砂トイレを躾けようとしている努力もむなしく、猫はところかまわず糞尿をまき散らす。家具や壁で体を掻き、膿をなすりつける。それが悪臭の原因だった。猫は清潔好きだと聞いていたが、あのいまいましい年寄り猫にはあてはまらないらしい。

典子に文句を言っても、「あら、そう？　あたしはそれほど気にならないけど。あなたと違ってずっと家の中にいてばかりだからかしら」と皮肉まじりの言葉を返されるだけだった。昔からそうなのだ。自分の関心の外にある物事には、座敷犬のように鈍感な女なのだ。

今日こそ美紀と話をするつもりで、リビングを素通りし、まっすぐL字型の廊下の先に向かった。ハムスターが死んで以来、美紀は私と口をきこうとしない。朝も顔を合わせるのを避け、私が家を出かけるまでダイニングには顔を見せないのだ。

ドア越しに美紀の声が漏れてきた。

「……ねぇ、どう?……これでいい?」

最初は自分の知らない女の声かと思った。十二歳の少女とは思えない媚《こび》に潤んだ声音《こわね》に、私は慄然とした。ドアのすぐ向こうの声が、とんでもない彼方から聞こえている気がした。

「……あ、いけない。だめね、わたし……ごめんなさい……ごめんなさい」

何をしているのだろう。悪いとは思ったが、ノックをせずにそっとドアを開けた。

六畳間の中央で猫が足を伸ばして横臥《おうが》していた。毛のない腹に、蛾が卵を産みつけたようにびっしりと潰瘍が並んでいる。その醜い腹が呼吸に合わせて上下していた。

美紀はこちらに背中を向けて正座をしている。綿棒を持ち、高価なガラス細工に触れる手つきで猫の耳掃除をしていた。猫がぴくりと体を震わせると、電気に触れたように手を引き、また謝罪の言葉を繰り返した。まるで貴人にかしずく侍女だ。先に私に気づいたのは猫だった。満足げに閉じていた目を薄く開け、頭をもたげる。美紀がバネ仕掛けの人形めいた素早さで首を振り向けた。四つの瞳が同時に私を捉えて、すっとすぼまった。猫がラジエーター音に似た低い声を出す。それを合図にしたように美紀が叫んだ。

「勝手に入ってこないでよ！」

「少し、話をしないか」

部屋に入ろうとすると、まるで糸でつながっているふうに、二つの頭が同じ動きで私を追いかけてきた。

「ヒトの部屋に勝手に入らないでって言ってるでしょ。もう子供じゃないんだよ」

「この間のことは、あやまるよ。いろいろ考えたけど、やっぱりパパが悪かった」

美紀の目の奥に底意地の悪い光が浮かんだ。そんなことがあるはずもないのに、一瞬、瞳孔が縦にすぼまったように見えた。

「出てって」美紀が赤い口蓋を覗かせて叫ぶ。「出てけっ！」

クッションを投げつけられた。カッとなったが、ここで怒ってしまったら、さらに関係が悪化してしまうことはわかっている。

「これ、渡そうと思っただけだよ。欲しがってたやつ。気に入ってくれればいいんだけど……」

それだけ言い、渡しそびれていた化粧箱を置いて部屋を出た。ドアを閉めようとした瞬間、すき間から化粧箱が放り出された。

＊

引っ越しから二週間目の日曜日、休日出勤を午前中で終えた私は、ようやくアトリエの整理に乗り出した。

板張りの部屋は十畳ほど。現代の感覚からすれば診療所としては小さいが、素人同然の画家のアトリエにはじゅうぶんな広さだ。

南と東、二方に開いた窓から春の淡々とした陽光が射しこんでいる。イーゼルが据えられたままになっていて、その手前に簡素な椅子がひとつ。かたわらの木製のデスクには筆や絵の具が叔父の性癖を物語る整然さで並べられていた。パレットには乾燥した絵の具がこびりついたままだ。他に家具と呼べるものは、南側の窓辺に置かれた泰西名画に出てくるような片袖付きの寝椅子ぐらい。上にはカシミアの毛布がきちんと畳まれて載っていた。

一枚の絵画の構図を練り上げるように、あるべきところにあるべきものが配置されている。典子がここだけ整理をせずに残したわけがなんとなくわかる。手をつけがたい雰囲気があるのだ。耳をすますと、死んだはずの叔父の息づかいが聞こえる気さえしてくる。

左手にドアがある。診療所時代に待合室だった場所に続いているらしいのだが、外からの出入口はずいぶん昔に板壁に改修されていて、このドアにも鍵がかけられていた。

鍵はさほど苦労せずに見つかった。デスクの引き出しの中だ。小さな解錠音に続いて、陰気な軋《きし》みとともにドアが開いた。

細長い小部屋だ。片側の窓には鎧戸《よろいど》が下げられていて、中は薄暗かった。旧式の重い鎧戸を上げると、誰かの悲鳴に聞こえる摩擦音がした。

左手の壁は全面が上下二段の棚になっている。そこに油紙で表を覆ったキャンバスが並べられていた。

かなりの数だ。何号と呼ぶのか絵画にうとい私にはわからないが、小さなものは週刊誌大。大きなものは畳半分ほど。裏板の古び具合で、それが年代順に並んでいることがわかる。叔父の几帳面さがここでも発揮されていて、裏板は白木の色から陽に焼けた褐色へ鮮やかなグラデーションを描いていた。

上段の手前、最近のものと思える絵から包装を解いていった。

一枚目はアトリエの中の情景。二枚目は出窓からの眺望。三枚目は紅色の薔薇が咲いたこの家の庭。

晩年の作のためか、三枚とも邸内を描写したものだ。どの美術家団体にも所属していなかったという理由で、弁護士から資産価値がないと判定された叔父の絵は、確かに精緻ではあるものの、特別な魅力もない。可哀相だが、才能に恵まれていなかったことは、素人の私にもわかった。題材は違っても、すべての絵が退屈なほど似かよっている。その原因は構図や色遣いが杓子《しゃくし》定規なせいだけではなく――。

それに気づいたのは、四枚目の絵を取り出した時だ。もう一度、一枚目から見直してみる。やっぱりそうだ。

どの絵にも猫が描かれているのだ。アトリエの寝椅子に。出窓の片隅に。あるいは薔薇の向こうの塀の上に。

四枚目は猫だけを描いていた。仰向けに寝そべる老猫の姿を精緻な筆で描写している。五枚目、六枚目、七枚目。どれもフミと名づけたあの猫の肖像、あるいは猫をからめた近景画ばかりだ。

すべて猫がモチーフの息苦しいほど退屈な絵に嫌気がさしてきて、今度は下段の奥を探った。叔父の若かりし頃の作品だ。

こちらは風景画や静物画、トルソーのデッサンなどだった。美術学校に通っていた頃の課題だったのだろう。キャンバスの裏には、『油絵科 川嶋秀雄』と書かれた張り札がついている。晩年の凡庸な絵に比べれば、この頃の作品のほうが構図も伸び伸びし、色遣いも大胆で、はるかに魅力的である気がした。

順番に見ていくうちに、とりわけ厳重に包装してある大きなキャンバスに突き当たった。これには名札がない。

丁寧な包装を剝がすと、人物画が現れた。若い女の横顔だ。襟もとだけ描かれた古風なデザインの服は鮮やかな青。面長の輪郭と切れ長の目に見覚えがあった。アルバムの最後のページに挿《はさ》まれた写真の女性だ。

次の絵も同じ女性の肖像画だった。服はやはり青色で、こちらは上半身の構図。その次は椅子に腰かけた姿。椅子はダイニングにいまも置いてあるものだ。同じ女性を描いた肖像画が八枚。

どの絵も目の前にモデルを置いて描いたものではないかもしれない。顔とポーズがどことなくちぐはぐなのだ。モデルの女性の目線は画家を向いていない。横顔か、斜めに首をそらせている。まるで覗き見をしているような構図だ。アトリエの庭に向けて開いた窓の向こうには、ステンドグラスが嵌《は》まった角部屋がある。私はそこがかつて叔父の部屋だったことを思い出した。

八枚の肖像画の後、叔父の画風は一変した。これも絵と呼べるのだろうか、暗色の絵の具で塗りつぶしただけのキャンバスが何枚も続く。最初は描きかけなのかと思ったが、他の絵と同様に油紙に包んであるから、いちおう作品なのだろう。

そんな絵が五、六枚続いたあとに、またもや猫の絵が現れた。そこからは何枚確かめても、みんな猫、猫、猫だ。

全身、頭部、半身、後ろ姿。水彩画や版画もあった。春夏秋冬の窓景色を背景にした連作。さまざまな静物とからめた構図。椅子に仰向けに横たわったポーズの幾枚かの全身像は、まるで裸婦を克明に写実するようにねっとりと描かれている。

叔父は生涯の大半を費やして猫だけを描き続けていたのだ。しかもそれがどれも同じ猫に見える。絵の中のどの猫も、背中にくすんだ黄色と焦茶の模様があり、右目の上に眉のような黒い斑《はん》があった。

あの猫と同じだ。しかし、そんなことがありえるだろうか。

「アルバムはどうした？」

リビングに戻って典子に聞いた。古い写真で確かめてみようと思ったのだ。

「え、知らないわよ」

「どこにもないぞ」

確かアルバムといくつかの画集、レコードを遺品の山から取り分けておいたはずだ。

「あなた、捨てちゃったんじゃない。本を資源ゴミの日に出した時」

「俺がそんなことするわけないだろ」

「じゃあ、誰がやったっていうの？」

典子が尖った声を返してきた。誰だろう。部屋の外、閉ざされたままのドアのある方角に目を走らせたが、私はすぐさま首を横に振った。考えたくなかった。

＊

「なぁ、猫ってどのくらい生きるもんなんだ？」

社員食堂でカツ丼を食っていた山崎の隣にトレイを置き、世間話をする調子で尋ねてみた。この男の愛猫家ぶりは有名だ。子宝に恵まれない山崎夫妻にとって猫たちが子供がわりだそうで、定期券には五匹の猫すべての写真が入っている。

「なんです、突然。そうか、川嶋さんも猫を飼うことにしたんですね。ね、言ったでしょ。一軒家を持つと欲しくなるって」

「いや、もう居るんだ。家つき猫っていうか……それが、かなりの年みたいでさ」

「ご心配なく。飼い猫の場合、最近は昔に比べて長生きですから。うちの最長老は十四歳ですよ。結婚する前からカミさんちで飼ってたんです」

猫の年齢を人間に見立てるなら、一年半で成人。その後は一歳を四年で換算すればいいのだそうだ。

「とはいっても二十歳を超えるのは珍しいですよね。人間だったら、自治体から記念品が届くな。ギネスブックには三十何年生きたって記録があるらしいですけど。まぁ、いくら可愛くてもそんなに長生きされたら不気味だな。だって、年取った猫は尻尾が二本になって、別の生き物になるって言うじゃないですか」

「あほらし」

鼻で笑った。山崎の言葉というより自分の思い過ごしを。二本どころか、あの猫の場合短すぎて、たった一本の尻尾もあるのかどうかわからないぐらいだ。

「それより川嶋さん、珍しいですね、昼飯にサンドイッチなんて。いつもは焼き魚定食なのに」

「それがさぁ、引っ越したとたん、うちのが急にはりきり出して、毎日、凝った和食ばっかり。いくら俺だって飽きちまう。なんとか風のシチューやらハンバーグやらに文句言ってた頃が懐かしいよ」

美紀が食べたがるからだそうだ。「フミと同じものを食べたいなんて言うのよ。ま、どんな理由であれ、悪いことじゃないしね」典子は突然、偏食が直った娘を手放しに喜ぶが、私はとてもそんな気にはなれなかった。

「じゃあ、たまには外でどうです。いつもの炉端焼きの店じゃなく、ダイニングバーかどこかで」

山崎が片手でグラスをあおるしぐさをした。

＊

玄関のドアを開けたとたん、ほろ酔い気分はいっぺんに醒めた。アルコールのせいで鈍感になっている鼻にも、家全体を薄い膜のように覆っている膿と糞尿と餌皿の中の腐敗しかけた魚の臭いは強烈だった。

猫のためにトイレのドアは開け放してあるのだが、最近のあの老いぼれ猫は、そこへ行くことすらおっくうがっているらしい。

二時間近くかけて帰宅した代償がこれか。もう、たくさんだ。私はトイレのドアを蹴り上げて閉め、足音を荒らげて美紀の部屋へ向かった。部屋に近づくにつれ、臭いは酷いものになる。

ドア越しに忍び笑いが漏れていた。すきま風のような虚ろな笑い声に聞こえた。

頭の中ではバーカウンターで聞いた山崎の言葉がリフレインしていた。考えすぎだと自分に言い聞かせても、頭から離れない。

ひとしきり飼い猫の自慢話をした後、山崎は初心者心得を指南する口調で語りはじめた。

「猫は他の動物とは違う。人に支配されるんじゃなく、人を支配するんですよ。こっちが飼ってるつもりでも、いつのまにか言いなりになっちまう。家の中のちっちゃな王様か女王様ってとこです。いや、権謀術策で君臨するラスプーチンかな。誰に近づけば自分がいちばん得をするかお見通しみたいだし、邪魔者は排除しようとするし。きっと自分のテリトリーを居心地よくする方法を本能的に察知できるんです。性悪といえば性悪ですけど、ま、そこが魅力というか魔力で。言ってみれば、そう――」

性悪女に骨抜きにされた色惚《ぼ》け男の表情で山崎は、こう言った。

「――猫は人にとり憑《つ》くんです」

ドアをノックしたとたん、部屋の中が静かになった。

「美紀」

返事はない。ノブに手をかけた。鍵がかかっている。握り拳でもう一度ドアを叩く。

「美紀、開けなさい！」

何度叩いても同じだった。荒く息を吐いてドアから離れた私の背中に、くすくす笑いが浴びせられた。

典子はダイニングのスツールの上で片膝を立てて、マニキュアを塗っていた。

「どうしたの、怖い顔して」

「美紀の部屋、鍵がかかってるぞ。どうしちまったんだ、あいつは」

典子が爪に息を吹きかけるついでに答える。

「そうなの、困っちゃった。あの部屋って内鍵がついてるのよね。最近は猫と一緒に閉じこもってばかりで。わたしにはろくに触らせてもくれない。なんだか仲間はずれよ」

邪魔な存在は排除する――また山崎の言葉が蘇った。思わず能天気にやすりで爪を磨いている典子の顔を見つめてしまった。

「話がある」

「なによ、あらたまっちゃって」

口からすぐにでも迸《ほとばし》り出そうな言葉の数々を押しとどめた。冷静に話さなければ。酒が飲みたかったが、我慢して二人分の茶を淹れる。

「なぁ、最近、この家、おかしくないか?」

「……え?」典子が爪をとぐ手をとめた。「おかしいって、どこが」

「あの猫をどう思う」

湯呑み茶碗を手渡して聞いてみた。典子はぼんやり首をかしげる。

「そうねぇ、私は飼うなら犬のほうがいいと思ってたけど……」

「いくら動物好きだと言ったって、ほどがあるだろう。美紀の可愛がりようは、はっきり言って異常だぞ。家中に妙な臭いがするし。なんとかしなくちゃだめだよ」

典子は中空に顔をあげ、小鼻をひくりと動かす。そしてこともなげに言った。

「気にしすぎじゃない?」

「お前、この臭いが気にならないのか」

典子が湯呑みに口をつけて、それから顔をしかめた。

「熱っ」

「え?」

私へ咎《とが》める眼差しを向けてくる。

「お茶、熱すぎる」

「……そうか?」

ひとくち飲んでみたが、むしろぬるいぐらいだ。

「そんなことより、あの猫のことだ。山崎に聞いてみたんだ。ほら、あいつ、猫にくわしいから。齢《とし》をとって病気がちの猫は、苦痛を取り除いてやるために安楽死させる選択肢もあるって。美紀には可哀相だけど、あの猫にはそうしたほうがいいんじゃないか。もうそうとうの齢だろ」

典子の首がこちらへねじ曲がる。大きな目が、細くすぼまった。

「なんですって?」いままで一度も聞いたことのない低い声だった。「本気で言ってるの」

「え、いや、だから……」

典子が舌を伸ばして唇を舐めた。私の顔を獲物を狙う目で睨んだ。私が次の言葉を口にするより先に典子の赤い唇がはじけた。

「信じられない、なんて酷いことを。あなたってそういう冷たいところがあるのよ。あたしがお義母《かあ》さんとのことで悩んでた時だって、ろくに話を聞いてくれなかった。美紀が学校のお友だちとうまくいってない時も。あなたはいいでしょうよ。お酒飲んでうさばらしして、毎晩遅く帰ってきて、寝るだけですもの。あの猫がいなくなっちゃったら、私や美紀はこの家でどうしたらいいの。誰も知り合いがいない、話し相手がいない。近所の人には変な目で見られる。あのコの存在がどのくらい慰めになっているか、あなたにはわかってないのよ」

典子の声には強い口臭がまじっていた。魚の臭いだ。私は生唾を呑みこんだ。混乱した頭の中でけんめいに言葉を探したが、結局、こう言うのがせいいっぱいだった。

「わかった、もう言わない。この話はよそう」

典子が鼻を鳴らし、勝ち誇った横顔を見せつける。私には目もくれずに爪とぎを再開した。

＊

久々の休日は居心地の悪いものだった。

美紀はリビングのソファで眠っている。何かから身を守るように背中をまるめ、両手と両足を折りたたんで寝息を立てている。中学に入る直前に伸ばしはじめた髪が寝顔を隠していた。私が部屋に入った時からずっとそうしていて、声をかけても耳が別の生き物のようにぴくりと動くだけだった。

ダイニングテーブルには遅く起きた私の朝食だけが載っている。冷えたさわらの照り焼き。典子はもうキッチンにこもっているようだ。漂ってくる煮魚の臭いが嘔吐を覚えるほど厭《いと》わしかった。キッチンから典子の鼻歌が聴こえる。私の聴いたことのないメロディだった。私は足音を忍ばせてアトリエへ向かった。

この数日間、アトリエには入っていない。私がどんなに遅く帰っても、典子が起きて待っているからだ。節約のためだと言い、灯もつけずにリビングで待っている。どちらにしろ夜のアトリエではたいしたことはできなかっただろう。典子が照明器具を取りはずしてしまったからだ。典子に言わせれば、これも節約のため。

アトリエは私の知らない間に、猫の部屋になっていた。彫刻を施した小さなリネンチェストの蓋がはずされ、砂が盛られて、トイレにしつらえてある。キッチン、ダイニングに続いて三つ目の猫のトイレというわけだ。とはいえ猫が垂れ流しをやめたわけではなく、ここにも他の部屋と同様、悪臭が充満していた。私は臭いを追い払うために、母屋で我慢していた煙草に火をつけた。

餌の場所――典子の言う猫の食卓がここにもある。食器は九谷焼の絵皿。窓辺に置かれた寝椅子にはカシミアの毛布が敷かれていた。すべてが、あらかじめ決められたもののように整然と配置されている。五月だというのにガスストーブが点火され、部屋はむせ返るほどの暑さだった。

部屋中を漁った。どこかにアルバムが隠されているはずだ。物置になっていた小部屋を開けようとしたが、鍵が締まっていた。かけた覚えはないのだが。デスクの引き出しにあったはずの鍵もない。典子を問い詰めようと思ったが、やめた。聞かなくても答えはわかっている。

今度は鍵を探した。絵筆を入れた壺まで逆さに振ってみたが、ない。

あきらめかけた時、この間見たときよりもパレットに盛られた絵の具の量が多いことに気づいた。ペインティング・ナイフで掻きとると、黄色の絵の具の中から、黄色に染まった鍵が出てきた。

思ったとおりだった。小部屋の棚の一角に油紙で梱包された大きな包みがある。中には捨ててしまったはずの叔父の遺品と例のアルバムが収まっていた。

山崎は言っていた。「猫が親と同じ毛色で生まれてくる確率は半分以下なんです。雄親によっては白猫から黒猫が生まれることもある。毛の模様の位置と形までまったく同じなんて、それこそ二人の人間の指紋が一致するようなもんですよ」

見ないほうがいいように思えた。叔父の死後の始末や転居や残業続きの疲労で、神経が過敏になっているだけかもしれない。なにもかもが自分の妄想である気がしてくる——そうあって欲しかった。

鎧戸《よろいど》は開かなかった。すっかり錆びついてしまったのか、もしくは開かないように固定されたのか。どちらであるかは考えまいとして、戸のすき間から漏れる光の下でアルバムを開き、指をせき立てた。

この間は叔父にばかり気をとられていたが、今回は小さく写った猫に目をこらす。

セーター姿の叔父が抱いている猫。背中の模様はわからないが、右目の上の斑《はん》の形と位置は同じだった。

その下、青年だった叔父とともに子猫たちに囲まれて微笑むように目を細めている親猫。こちらは背中がはっきり見える。人の顔にも見える楕円の模様があった。

注意して見ていくうちに、右頁《ページ》のアトリエを背景にした写真にも猫が写っていることがわかった。親指の先ほどの大きさだが全身が写っている。顔の斑も背中の模様もあの猫と同じに見える。この写真の叔父の眉には傷痕がある。両親が亡くなってから負ったものだと聞いていた。

これは誰が撮ったのだろう。レンズに冷やかな目を向けている猫とは対照的に、叔父は無防備に笑っている。生涯孤独だったわけではなく、昔は友人がいたのか。あるいは——。

叔父が写真と絵に残した女性は、片思いの人だと決めつけていたのだが、そうとは限らないことに気づいた。しかし、だとしたら、あの女性は、その後どうしたのだろう。

アトリエのドアが開く音がした。遺品のひとつである木彫が施された姿見に、入ってくる小さな影が映っていた。

猫だ。体を伸び上がらせてノブに前足をかけている。あれは自分でドアを開けられるのだ。

入ってきた猫は、後ろ足だけで立っていた。人間が二本足で歩くように。そのまま数歩進んですぐ四つんばいに戻ったが、その様子は私の存在に気づいて、そうしたようにも見えた。

猫の姿が鏡から消える前に、背中の紋様を目に焼き付けて、もう一度、アルバムを眺めた。自分の考えすぎを笑うために。だが、何度見ても、どう目をすがめても同じだった。四十数年前の写真に写っているのは、間違いなくあの老猫だ。

右頁の写真の片隅にキャンバスが写っていることに気づいた。大きなトランクにうずくまった猫の後ろだ。描きかけの油絵が載っている。ピントが合っておらず、モノクロだから、描かれているものがよくわからない。ポケットからライターを取り出して火をつけ、その明かりの中にアルバムをかざす。焦点が合うまで瞬《まばた》きをくり返した。

人物画。女性の全身像だ。正面を向いている。残された絵にはなかった構図だ。もう一度瞬きをした。黄変しているためか、モノクロームなのに黄色に見えるワンピースを着たその女性の肩から上は人間じゃない。それは、私には猫の首に見えた。

いまにもアトリエから誰かが――人ではない何かが、顔を覗かせるような気がして、うなじが冷たくなった。その誰かがドアを閉め、鍵をかけ、自分にくすくす笑いを浴びせてくる――ふいにそんな妄想が頭をよぎり、たまらず小部屋を飛び出した。

猫の姿が消えていた。

ドアは閉まっている。ぐるりと首をめぐらせた。部屋の隅でガスストーブのホースが揺れていた。

ストーブの向こう側を覗いてみた。猫がホースにじゃれついている。猫は私に気づいているのかいないのか、驚くそぶりは見せず、子猫じみた無邪気さで一心不乱にガスホースを弄《もてあそ》んでいる。爪を立て、前足でころがし、口にくわえ、鋭い歯を立て——

こいつは何をしてるんだ？

私は祖母の死因を思い出していた。そして、古いこの家のガス設備には安全装置や警報機がついていないことも。器用にガスホースを挟みこんでいるあの手つきなら、祖父の心臓病の薬をかすめとることだってできそうだった。私の手の中にはまだライターがあった。プロパンガスが充満したこの部屋で、もし煙草を吸ったら——いかにも猫らしくホースに嚙《か》みつき、目を細める顔が、一瞬、狡猾で邪悪な老女の顔に見えた。

「なにをするつもりだ」

人間を咎《とが》めるような声をあげてしまった。私は手近にあった椅子を振りかざした。

猫が蛇の威嚇音に似た息を吐き、全身の毛を逆立てて後ずさりした。私を睨《ね》めつけて、低く唸る。

椅子を投げつけた。その瞬間、老猫とは思えない身軽さでイーゼルへ飛び移り、そこからさらに天井近くの棚の上まで逃げた。棚から画材が落ち、床を鳴らした。

「なにしてるのっ」

背後で典子の声がした。ドアの前に立ち、目をつり上げて私を睨んでいる。

「見ろ、こいつ、ガス管をかじってた。穴を開けるつもりだったんだ。こいつは、俺を、俺を――」

情けなく声が震えてしまった。しかし私のその声は、典子の耳を素通りしているようだった。私に冷たい横顔を見せつけたまま、棚の上の猫へ腕を差し伸べている。

「見てみろよ、この写真。ほら、これ、これだ」

アルバムを突き出して、口から唾を飛ばしたが、典子は顔をそむけた。猫が典子の腕を伝い、肩を踏み台がわりにして床へ下りた。

「おかしいんだ、見てみろ、ほら、ほら、ほらっ！」

ようやく私に振り向いた典子は、唇の両端を大きくつり上げて笑っていた。

「おかしいのはあなたのほうよ」

猫は悠然とした足取りでアトリエを出ていく。ドアの外には美紀が立っていた。怯えるでもなく怒るでもない、表情のない顔で私を見つめていた。

私を睨んでいた典子がふいに表情をゆるめた。老猫にも負けない老獪《ろうかい》な微笑みだ。声も優しくなっていた。

「ねえ、あなた、疲れてるのよ。だから妙なことばかり考えるの。新しい環境にまだ馴染めていないのね。仕事が大変なのもわかってる。年下の山崎さんが先に課長になるかもしれないんでしょ。でも、慣れてくれないと。この家やフミに――」

私が何も答えないとわかると、典子は唇を舐めて言った。

「私たちとこれからも暮らしたいのなら」

私は力なく頷いた。他にとるべき行動を思いつけなかった。手の中からアルバムが滑り落ちた。

＊

ストーブがともされたダイニングは汗ばむほどの暑さで、こもった熱気が猫の糞尿と膿と生魚の臭いをさらに酷いものにしていたが、典子と美紀に気にする様子はない。

「さ、食べましょう」

典子が何事もなかったような明るい口調で言い、昼食の皿をテーブルに並べた。鰤《ぶり》の煮物。昼から豪華だと言わんばかりに美紀が声を弾ませる。

「いただきますっ」

食欲などあるわけがなかった。器からは血の臭いがした。鰤は半分生だった。鱗《うろこ》がついたままの赤黒い血の滲んだ魚が、冷えた汁の中に浮いていた。

美紀が鰤の頭を手づかみでむさぼりはじめた。魚の眼窩《がんか》へ器用に舌をこじ入れ、目玉をすくいとって口へ運び、喉を鳴らす。

「まったく、この子はお行儀が悪いんだから」

典子が言葉とは裏腹の笑顔を向け、美紀の頰にはりついた肉片をつまみとり、長い舌を伸ばして呑みこんだ。

同じメニューをあっという間にたいらげた猫は、私の正面、定位置のスツールの上にうずくまり、毛づくろいをはじめた。

股を開いて後ろ足を舐めている。下腹部もすっかり毛が抜け落ちていて、薄く血の色が透けた皮膚の中で、女性器の小さなカリカチュアのような陰部がむき出しになっている。そこだけなぜか色鮮やかに充血していた。

視線に気づいたのか、猫はふいに動きをとめ、顔をあげる。舌なめずりをして私の目をのぞきかえしてきた。金色の目の中で瞳孔がすぼまった。その瞬間、私は目をそらすことができなくなった。

頭の中で声が聞こえた気がした。動物の鳴き声とも誰かの呟きともつかない声。

ふいに記憶が蘇った。この家に越してまもなくの、あの晩のことだ。

あの時もこうして猫の目に射すくめられたのだ。急に酔いがまわった気がした。頭が霞み、隣室で絶え間なく続くハムスターの回し車の音が、ひどく苛立たしく聞こえた。

そう、思い出した。あまりにうるさいから飼育ケージへ白熱したスポットライトを落としたのだ。あの時と同じ声だ。

「パパ、食べないの」

美紀が言う。言葉をかけてくれたのは、何日ぶりだろう。私は胸が熱くなった。

フミがまた股間を舐めはじめた。私が見つめていることを知りながら、視線を無視し続け、それからいきなり顔を上げた。目を細めて唇の両端を吊り上げる。そうすると、まるで若い娘の妖艶な笑顔に見えた。

急に私には、血の臭いのする魚が悪いものではないように思えてきた。

殺意のレシピ

その夜、安田文彦が家に帰ると、キッチンから妻の久仁子の声がした。

「お帰りぃ」

やけに華やいだ声だ。文彦は眉根を寄せ、どんな顔であんな声を出しているのかと、ダイニングから窺ったが、エプロンの肩ひもが交差した背中しか見えなかった。

普通の夫婦ならなんでもない夕餉《ゆうげ》の風景なのだろうが、なにせ安田夫婦には、もう何年も会話らしい会話がない。たまさか言葉を交わせば、必ず口論になる。三日前、いつものように派手な諍《いさか》いをして以来、久仁子とはひと言も口をきいていないのだ。

「お疲れさまぁ。早かったのね」

なんだ、新手の嫌味か。お疲れさまも何も、今日は休日だ。早いといったって、時刻は午後八時。朝早く行き先も告げずに出かけたきりだった。文彦が答えずにいると、また久仁子の背中が言った。

「釣りに行ったんでしょ。道具なくなってたものね」

嫌味だろうが皮肉だろうが、あちらから冷戦状態を解いたのは好都合だった。舌打ちしたくなるのをこらえて、文彦は三日ぶりに妻に声をかけた。努めて快活に。心の裡《うち》を気取られないようにさりげなく。

「ああ、夕飯、まだだろう？」

今日はどうしても一緒に飯を食わねばならない事情があった。いくら喧嘩をしていても、この時間ならまだ、久仁子が一人で食事を済ませていないのはわかっていた。殊勝な心がけなどではない。配膳を二度すると光熱費がもったいないというのが、この女の持論なのだ。

「台所、使うぞ」

自分の声が他人のものに聞こえた。生唾を呑みこみ、マイクのテストをするように言わずもがなのひと言をつけ加える。

「魚、さばくから」

釣った魚は自分で料理し、食卓に添えるのが文彦の習慣だ——私が風邪で寝込んでもおかゆひとつ作ってくれないくせに、と久仁子には嫌味を言われるが、ずっとそうしてきた。

そう、いつものことだ。不審な点は何もない。たまさか大漁でたくさんつくった時には配ってまわることもあるから近所の人間も知っている。今夜、これから起こることを、誰も怪しみはしないだろう。

久仁子の背後に立ち、クーラーボックスを肩から下ろした。爆薬を扱うようにそっと。重いクーラーボックスがキッチンの床に陰気な音を響かせた。

「ちょっと待っててね、すぐに終わるから」

妙にしおらしく答える久仁子へ背を向けて収納棚を探った。いつもの場所に土鍋がない。そこでようやくキッチンに漂っている湯気と匂いに気がついた。

土鍋はもうコンロにかけてあった。すでに昆布が入り、ダシ汁の香りが漂っている。まな板の上には、切りかけの白菜。久仁子が、すぐに終わると言っていたのは、鍋の下ごしらえだった。文彦は問いただす。

「どうしたんだ、これ？」

「どうした、ですって？」

久仁子が振り向く。手にした包丁もこちらを向き、切っ先がぎらりと光った。思わず身を固くした文彦は、その顔を見て驚いた。さぞ憎々しげな仏頂面《ぶっちょうづら》をしていると思いきや、満面の笑顔だったのだ。

「ご挨拶ね。あなたの腕を信じて、今日はお鍋にしたのよ」

妻のこんな表情を見るのはいつ以来だろう。思い出そうとしたが、記憶がたどれないほど遠い昔だった。無理につくっている笑顔だということは、すぐわかった。久仁子が喉を詰まらせたからだ。

「いろいろ考えたのよ……このあいだのこと。いまの私たちのことも……私も悪かったのかなって思って、ちょっと反省したの」

あらかじめ用意してあった言葉を、懸命に復唱しているふうに見えた。文彦はぼんやりと鍋に目を向ける。

十七年間の結婚生活の、最初のほんの一時期、久仁子は文彦の釣り道楽に嫌な顔ひとつせず、釣果を信じて主菜を用意しないまま、鍋の下ごしらえをして待っていたものだ。

主菜のない鍋が、もう一度やり直したいという久仁子の無言のメッセージに思えた。一瞬、釣り針にかけられたように、ちくりと心臓が痛んだのは、持病の狭心症のせいばかりではないだろう。

「……だから、あなたのこと待ってたの。一緒にご飯を食べて、ちゃんとお話をしようと思って」

はにかんだ視線を文彦に投げかけてから、また背中を向け、包丁の音をさせはじめた。泣いているのかもしれない。

文彦はクーラーボックスにちらりと目を走らせた。帰途の道々、ようやく固めた決意がくじけそうになった。妻を殺害しようという決意が――。

「おつまみ、運んでおくね」

何も知らない久仁子が痛々しい陽気さを振りまき、ダシをとった鍋やこまごました惣菜をダイニングに運び終えるのを待ってから、クーラーボックスを開けた。鼻を刺す魚の生臭さが、血の臭いに感じられた。

これしかない――頭の中で何度も反復させたせりふを、また繰り返した。久仁子と別れる方法はこれしかない。もうだいぶ前、文彦は自分の判を押した離婚届を突きつけているのだが、久仁子はどうしても首を縦に振ろうとしないのだ。

クーラーボックスから、今日の釣果を取り出す。指先が震えた。

大物が一匹。

別の種の中ぶりの魚が三匹。

磯でとってきた海草。

そして、貝。

その中のひとつを手に取った。いつもの釣り場ではなく、遠くまで足を伸ばして手に入れたものだった。

素手で触っても危険はないのだが、触れただけで指先が痺れる気がする。なにしろ妻をあの世に送るための毒物なのだ。

自分専用の刺し身包丁を出し、いつもどおり砥石《といし》で研《と》ぐところから始めた。迷いを払うように機械的に手を動かす。職場の部下である恵美のことだけを考えようとした。

最近の恵美は、女房と別れるという約束をずるずると引き伸ばしている文彦をなじるようになった。お見合いをしろって田舎の両親がうるさいの、どうしようかと思って——先週、突きつけられた言葉はたぶん最後通告だ。急がねばならない。恵美を手放したくなかった。久仁子の乏しい胸とは大違いの、重力に逆らうごとく反り返った恵美の九十余センチの乳房の感触を思い返しているうちに、また決意が固くなった。股間もだ。

ほどなく包丁の刃が鋭い光を放ちはじめた。よし、いいだろう。文彦はひっそりと笑う。別に刺殺するわけじゃないのだから。

流し台に並べた釣果を眺め、どれから料理しようかと思案する。やはりあれは最後にしよう。

完全犯罪になるはずだった。

あれが毒物になることを知る人間は少ない。自分も知らなかったふりをすればいいのだ。殺人だったとは誰も疑わず、事故として片づけられるはずだ。

久仁子があれを口にするのは間違いなかった。貧乏性のあの女には残り物を捨てるという発想がないのだ。文彦が手をつけずにいれば、必ず箸を伸ばすだろう。

しかも文彦自身も、あれを口にするつもりだった。危険な賭けだったが、何日か入院ぐらいしたほうが格好がつくし、第一、文彦にはあまり毒が利かないだろう。なぜなら――

「そろそろ、お鍋に火を入れていい？」

ダイニングから久仁子が声をかけてくる。包丁を動かしながら上機嫌で答えた。

「おう、いいとも。もうすぐだ」

そう、もうすぐだ。あと数時間ですべてにけりがつく。文彦は、あれをまな板に載せ、ごく簡単な調理を始めた。

料理といっても釣りの後始末のようなものだから、たいした手間もなく四品が完成した。釣った魚は食べてやるのが魚への供養――それが文彦の釣り人としてのポリシーだ。釣った魚に餌をやらないのも。「わぁ、すごい」無理やりつくったような久仁子の嬌声を冷やかに聞き流して、ダイニングテーブルに料理を置く。大きな白身魚はぶつ切りにしてある。頭や骨も入れたアラ鍋にするつもりだった。もう一種の魚は、三枚におろし、刺身にした。海草はきゅうりと和《あ》えた酢の物。貝は酒蒸しだ。

この中の一品が自分を死にいたらしめる毒物であることも知らず、久仁子がはしゃぎ声を出す。

「今日はずいぶん豪華ねぇ。この薄造りのお刺し身、まさか、フグじゃないよね」

「あたり前だろ、調理免許もないのに」

あたり前だ。フグなどであるものか。そんな見えすいた手を使うほど馬鹿じゃない。

新婚時代から使っているダイニングテーブルは四人がけだが、結局子供ができなかった安田夫婦は、ずっと二人で使っている。いつもは寒々しく思えるほど広いテーブルを、今日は狭く感じた。少しでも疑惑をそらすために品数を増やしたからだ。おつまみだけと言っていたが、久仁子もこの女にしては珍しく、たくさんの料理を並べていた。本気で夫婦関係を修復できると信じこんで、ずいぶん気を張ったらしい。

お互いに顔を突き合わせずにすむよう、いつの頃からかテーブルに斜向《はす》かいで座るのが安田家の習慣になっていたのだが、今日は差し向かいに箸とビールグラスが用意してあった。

「さ、どうぞ」

何かの決意であるかのように、妙になまめかしいしぐさで久仁子がビール缶を差し出してくる。またも文彦の心臓は痛んだが、もう後戻りはできない。いまさらやり直そうなんて無理な相談だ。

もう、うんざりだった。この女の嫌味っぽくて勝気な性格には。生活費は貧乏臭くケチるくせに、自分が着飾るものには金を惜しまず、無益な浪費をする身勝手さもだ。殺意を奮い立たせるために、心の中で久仁子の欠点をあげつらってみる。あとは――あとは何だっけ。

久仁子が箸をとって、テーブルを眺めまわした。

「おいしそう。私のつくったのも食べてね」

「おお」

文彦はビールグラスをゆっくり傾けながら、テーブルの向こうの久仁子を窺った。

久仁子の箸が、刺し身の皿に伸びる。

と思いきや、海草の酢の物の方へ移動する。

かと思うと、貝の酒蒸しの上をさまよってから、結局、鍋の中に突っこんだ。

だが、突っこんだだけで、何もつかんでいない箸を口にくわえた。

くそっ。久仁子の欠点をもうひとつ思い出した。迷い箸。親のしつけがなっていないのだ。

久仁子が箸を口にくわえたまま、文彦の顔を覗きこんでくる。目が合うと視線を落とし、テーブルに語りかけるようにぽつりぽつりと話しはじめた。

「ほんとはね、私、今日の朝も怒ってたんだよ。あなたがまた一人で出かけちゃったから。だって私、昨日寝る前に誓ったんだもん。朝起きたら喧嘩はやめて、おはようって言おうって……それなのに」

久仁子が結婚指輪が光る薬指で目のふちをぬぐった。

「だから、私も出かけちゃえって、そう思って、山歩きに行ったのよ。陽子を誘って。でもね、山の上から街や人がちっちゃく見える景色を眺めてたら、つまらないことに腹を立ててる自分が馬鹿馬鹿しくなってきて……で、胸に手をあてて考えみたの。お前に悪いところはなかったのかって……」

目を潤ませているのに、小娘のようにちろりと舌を出して笑おうとする。そうすると、ほんの一瞬だが、はるか昔、まだこの女を愛おしいと思っていた頃の面影が宿った。

少し前から山歩きと称して、久仁子は友人を誘って出かけるようになった。山歩きと言っても、ここからそう遠くない山間部のハイキングコースを散歩するだけらしい。金を遣うのが嫌いなこの女らしい趣味だ。どうせ休日のたびに釣りに出かける文彦へのあてつけで始めたのだろう、などと心の中で悪態をついてみたものの、自分がいなくなった独りぼっちの部屋で身支度をし、ため息をついて通信販売で買ったトレッキングシューズを履き、とぼとぼと家を出る久仁子の姿を思い浮かべると、胸がきゅっとすぼまる思いがした。

「もうすっかり春ね。山菜も顔を出してて。山へ行くとね、土地のお年寄りや、山歩きのベテランの人が、山菜の食べ方を教えてくれたりするのよ。だから今日は山菜料理に挑戦してみたの。あなたの健康にもいいだろうし」

ふん、山菜ならタダだからな。そんな憎まれ口が喉から零《こぼ》れそうになったが、そうせず、そのかわりに、久仁子が自分のために用意してくれた小鉢の中のおひたしに箸を伸ばした。

やめよう。文彦はすべてなかったことにして、テーブルを引っ繰り返してしまおうと思いはじめた。やっぱり俺にはできない、殺人などという恐ろしいことは。仮にも十七年間一緒に暮らした女だ。何も殺すことはないじゃないか。話し合おう。もう一度、冷静に――。名前も知らない山菜の味が、やけにほろ苦かった。

その時、ふと気づいた。

山菜があまりに苦くて呑みこむことができず、ビールで流しこもうとしている自分を、息を殺して見つめている久仁子の視線に。

グラスの底を通してぼんやり見えるその顔からは、さっきまで浮かべていたはずの微笑みが消えていた。微笑みどころか、久仁子が浮かべていたのは、あの時の――十七年間の結婚生活の中で何度も出くわし、そのたびに見てはならないものを見てしまった気がして顔をそむけてしまうあの時の――表情だった。

そう、あれは、久仁子がゴキブリホイホイの中でゴキブリがもがくさまを満足げに眺めている時と同じ顔だ。

まさか――。

背筋が寒くなった。

口の中の山菜が急に、腐臭を放つ忌まわしいものに思えてきて、鼻をかむふりをして吐き出した。

文彦は三日前の言い争いの原因を思い返していた。「こんなものより離婚届に判を押せ！」と声を荒らげてなじったのは、久仁子が文彦にかけた生命保険を勝手に増額していたのを知ったからだった。

まさか——この女も、俺と同じことを考えているのではあるまいな。いや、ありえないことじゃなかった。この女ならやりかねない。自分のことは棚にあげて文彦は慄《りつ》然《ぜん》とした。

不仲とはいえ、十七年も一緒に暮らしていると、考えることが似てくるものだ。例えば、文彦がそろそろ庭の草むしりでもするかと思い立って腰を浮かしかけると、久仁子から「たまには草むしりぐらいしてよ」などと声が飛んできて、無性に腹が立つことがある。久しぶりにカレーでも食うかと考えて社員食堂で食うと、夕食のメニューもカレーだったりする——そんな具合に。

あらためて目の前の久仁子の料理を眺めた。どれもこれも二人別々の器に盛ってある。いま吐き出したのは、ごく普通のおひたし、ただし何の山菜なのかはわからない。木の芽の味噌和えの小鉢。フキノトウに見えるが、本当にそうなのかどうか疑わしい。

和風ドレッシングのサラダ。よく見れば、これもどんな野菜か不明だった。サラダ菜でないことだけは確かだ。

山菜の炊き込みご飯まである。ぜんまいだとばかり思っていた具がムカデに見えてきた。

危うく騙されるところだった。まだ夫婦に少しは会話があった頃、この女が妙に饒舌になり、甘え声を出すのは、決まっておねだりをする時だった。「ねえ、補正下着買ってもいい？」あるいは事後承諾を迫る時。「真珠のネックレス、思い切って買っちゃった。こういうのって急に必要になるから――」

今回おねだりしているのは、おそらく文彦の命。

コップのふちの上から久仁子を窺う。その顔にはもう、形状記憶シャツのように笑顔が戻っていた。

「やだ、なに見てるの。照れちゃうじゃない」

両手を頬にあてがってシナをつくったが、文彦は見なかったふりをしてコップを置く。もう騙されないぞ。

静まり返ってしまったダイニングに鍋の煮える音だけが満ちた。文彦は安全と思える鍋にだけ箸をつけることにした。

白身魚を器にとる。これはごく普通のクロダイ。まったく問題ない。

豆腐。久仁子が用意したものだが、まぁ、これはセーフだろう。しらたきも。きのこをつまみ上げて、はたと手をとめた。いや、鍋も危ない。どうみても椎茸には見えないきのこを鍋へ戻し、つついて底に沈めた。

春菊も怪しい。これは本当に春菊だろうか。ぎざぎざが大きすぎるし、色も黒すぎる。見れば見るほど違うものに思えてきた。

とりあえずあの女が口にするものだけを食うことにしよう。そして、向こうがあれに手をつけるのを待つのだ。そう決めて、久仁子の一挙手一投足を油断なく見守った。

久仁子が豆腐ときのこを取った。なんだ、きのこは大丈夫なのか。

サラダを口に運ぶ。これもセーフか。

ビールばかり飲んでいると怪しまれるだろう。久仁子と同じものをそろそろと口に運びながら、文彦は慣れない愛想笑いを浮かべた。

「魚もどうだ。どんどん食ってくれ」

久仁子も笑い返してきた。唇の片端だけつり上げて。

「ええ、あなたもね」

＊

なにしてんのよ、まったく。早く食べなさいよ。愚図《ぐず》。のろま。優柔不断。だから四十過ぎても主任どまりなのよ。久仁子は微笑を顔に張りつけたまま、心の中で毒づいた。

今日こそ成功させるつもりだった。二年越しで進めてきた夫の殺害計画を。事故死に見せかけることのできる完璧な計画だ。

山歩きを始めたのは、そのためだ。有害植物に関する本は山ほど読んだし、地元の山菜採りのプロからもたっぷり情報を仕入れた。もちろん彼らはどれが食べられ、どう料理するのかを教えてくれるのだが、久仁子が熱心に耳を傾けたのは、絶対に食べてはいけないもの、食用と間違えやすいものへの注意ばかりだった。

すでに何度も計画を実行に移しているのだが、残念ながらこれまでは、ことごとく失敗に終わっている。

猛毒シクトキシンを含むドクゼリは、クレソンにそっくりだから、ハンバーグの付け合わせとして出した。

アルカロイド、スコポラミン、アトロピン……毒性の宝庫であるチョウセンアサガオの実は、すり潰して野菜ジュースに混ぜた。ソクラテスを死にいたらしめたといわれるドクニンジンは、精進揚げ。オニドコロはヤマイモの煮びたしに見せかけて。コンフリーに似たジギタリスは、地中海風サラダに。

全部、効かなかった。甲斐性なしのくせに、胃腸だけは丈夫なのだ、この男は。量も少なすぎた。ぶくぶくと無駄に太っているからだ。牛の致死量ぐらいじゃないと、このブタ男は倒せないだろう。

今回は心臓を狙う強心配糖体の毒にしてみた。この間の定期検診で、文彦が狭心症の疑いあり、と診断されたことを知ったからだ。少しずつゆっくり弱らせる方法もないわけではないが、そんな悠長な手段はとりたくない。久仁子は爆発寸前だったのだ。もう顔を見るのも嫌だった。鏡モチみたいな三段腹も、吐きそうになる靴下の臭いも、セクシーアイドルの出ているテレビを眺めて妙な想像をふくらませているらしい馬鹿面も。すべてが厭《いと》わしかった。

この二年、躊躇《ちゅうちょ》がまるでなかったと言えば嘘になるが、今日、山の頂《いただき》から、人間が虫ケラみたいにちっぽけに見える風景を眺め下ろしているうちに、迷いは消えた。やっぱり、穢《けが》らわしいゴキブリは、ポイ。

つくり笑いを向けすぎたせいか、頬が痙攣《けいれん》してきた。咳払いをするふりをして、ぴちゃぴちゃと下品な音を立てて豆腐ときのこばかり咀嚼《そしゃく》している文彦から顔をそむける。

離婚しないのは、女の意地だ。離婚届に判を押したら、この男の思うつぼ。三段腹のくせに若い女と浮気しているのは、もちろん知っている。夜釣りに行くなどと言って魚の臭いのかわりに安物の香水の臭いをさせて帰ってきて、私を騙せると思っているのだろうか。

たとえ離婚しても、子供がいないから、慰謝料は雀の涙だろう。だから、自分に妥当な額の慰謝料をもらうことにしたのだ。

死亡時給付金五千万円——保険金を増額したのはもう一年以上前だし、人に疑われるほどの高額でもない。この男に十七年間も我慢してきた自分へのささやかなご褒美だ。陽子みたいに自分のお店を持とう。健康自然食品のお店なんかどうだろう。この男を消して、人生をやり直すのだ。

久仁子はこっそり今夜のスペシャルメニューに視線を走らせる。あれは文彦の好物のひとつだから、手をつけるのは時間の問題だ。自分のぶんは、あれとよく似た——

本当によく似ている。見慣れた人間じゃないと見分けがつかないほど——ごくふつうの食材にしてある。

文彦が悶死した後で、適当に混ぜてしまえばいい。誰もがこう思うだろう。食用の山菜の中に運悪く有害植物が混じってしまっただけなのだと。私は、夫の体を気づかってつくった健康料理があだとなり、はからずも夫を死なせてしまった悲劇のヒロインになれるはずだ。

ちゃんと証人も用意した。友人の陽子だ。あの場所にあれが生えていることは、先週一人で出かけて確かめてあった。だからさりげなく、そこを通るルートへ陽子を誘い、偶然、見つけたふりをしたのだ。

「あ、これ、食べられるのよね、採っていこ」

「やめときなよ、なんだか不味《まず》そうだよ」

「平気、平気」

平気じゃないことはわかっていた。山菜嫌いの陽子がそれをけっして採りはしないことも。

「さ、どんどん飲んで」

口が曲がらないといいけれど。自分でも不気味なほどの甘ったるい声で文彦にビールをすすめる。ま、いっか。最後のサービスだもの。飲ませて、脈拍が速くなったほうが毒の回りも早いはずだ。意地汚く残った泡まで飲み干して、いそいそと二本目を取りに行った文彦のだぶついた背中へ冷ややかな視線の刃を突き刺して、久仁子はほくそえんだ。

葬儀では「あたしが悪かったんですぅ」なんて言って、よよと泣き崩れよう。みんながもらい泣きをするだろう。楽しみっ。喪服はやっぱりツーピースかしらん。ワンピースも捨てがたいのだけれど。本真珠のネックレスをつけるのは清美の結婚式以来だ、などと久仁子は考えはじめていた。

*

冷蔵庫を開けた瞬間、文彦の疑念は確信に変わった。動かぬ証拠を見つけてしまったのだ。

共働きで文彦より先に家を出る久仁子は、朝食を前日の夕食と一緒にこしらえ、冷蔵庫へ入れておく。文彦はそれを取り出して食べるのがいつもの習慣なのだが、明日の朝の惣菜《そうざい》、サラダとピザトーストが一人分しか用意されていない。

意味することはひとつだけ。久仁子の頭の中では、明日の朝、俺はいないことになっているのだ。

恐ろしい女だ。女狐め。首を絞めるようにきつく握ったビール缶がぶるぶると震えた。だが、こんな時ですら朝飯代を浮かそうとする貧乏性が命とりになったようだ。こうなったら、やられる前に、やってやる。

テーブルへ戻ると、久仁子が穴あきおたまで鍋の中味をすくい、文彦の取り皿にてんこ盛りにしているところだった。

そう来たか。

「あなた、お豆腐ときのこばっかり食べてない？　だめよ偏食は」

「お前こそ」

「そんなことないよ」

自分の言葉を実証するつもりか、木の芽の味噌和えを口にする。だが、フェイントかもしれない。久仁子の喉が動き、ちゃんと嚥下《えんげ》するまで見届けた。

じゃあ、こっちもいくぞ。

文彦は自ら一片を口にしてから、刺し身の皿を久仁子の前へ押しやった。

「ん、いける。カワハギだよ。どう？」

カワハギ自体に毒性はない。しかしこれはのちのち重要な伏線になるのだ。

「あ、ほんと、おいひい」

食った刺し身を口の中に入れたまま久仁子が喋る。これもこの女の下品な悪癖のひとつだ。

「な、うまいだろ」

うまいわけがない。壁紙を食っているような味しかしなかった。

「ビール、もっと飲むでしょ。私、とってくるね」

いつもは晩酌のビールを一本追加しただけでこの世の終わりのような視線を向けてくる久仁子が、自分から取りに行った。ビールも注意せねば。プルトップが開けられていたら飲むのをやめよう、文彦は心に誓う。一見、平和そのものに見える夫婦の食卓は、いまや戦場だった。

三本目のビールが空になりかけても、久仁子はまだあれに手をつけようとしない。文彦は、いよいよ奥の手を出すことにした。肉を斬らせて骨を断つ、捨て身の作戦だ。

あれを箸でつかむ。口にするのもおぞましかったが、一瞬たりとも躊躇《ちゆうちよ》を見せるわけにはいかなかった。

無造作を装って、あれを口に放りこむ。ふだんなら好もしい潮の香りが、恐ろしく生臭く感じられた。舌が喉に運ぶのを拒否していたが、無理やり呑みこみ、満足そうに喉を鳴らしてみせた。

「ん、うまい。ほら、食ってみろよ」

久仁子が箸を構える。急に動悸が速まり、文彦は思わず左胸をわしづかみにした。まっすぐあれに伸びていった久仁子の箸は、直前で、すいっと方向を変え、おひたしの上をさまよう。しばしためらってから今度は刺し身の手前で輪を描きはじめた。つられて眼球と上半身を動かしていた文彦は心の中で舌打ちをする。くそっ。また迷い箸をしてやがる。早く食え、ほら早く。

箸が貝の酒蒸しの前でぴたりと止まる。だが、結局、酢の物を選んで、小鉢の中の海草をひとつかみした。久仁子がゆっくりと口に運ぶ。ひと口、もうひと口――。やった。心臓が躍り出し、喉から飛び出しそうになった。

ついにやった。食いやがった。あれを。

オゴノリを。

海釣り場では、さほど珍しくない海草。加工品も出まわっていて、刺し身のツマにも使われるぐらいだから、通常はまったく危険はない。しかし、ある条件下では恐ろしい毒性を発揮するのだ。

昔から噂は聞いていた。

「オゴノリを生で食べると当たる」あるいは「生のオゴノリと生魚を一緒に食うと死ぬ」釣り舟の船長や漁師たちが、そう話すのを何度か耳にしたことがある。だが、文彦はずっと「鰻と梅干し」「天ぷらとかき氷」などと同じ類《たぐい》の迷信だろうと思っていた。一カ月ほど前、新聞の片隅で偶然見つけた記事を読むまでは。

『オゴノリで中毒死』

そんな見出しのついた記事だった。磯遊びに出かけ、海草を持ち帰って食べた夫婦が中毒事故を起こした。妻は死亡。夫は幸い軽症。原因は生のオゴノリだと考えられる――という事実が簡潔に載っていた。

興味をそそられたのは、事件に関する専門家のコメントだった。

加熱していないオゴノリを、生魚と同時に食することはたいへん危険である。生のオゴノリに含まれる酵素が魚のアラキドン酸と合成すると、有毒物質に変化する――。

過去の死亡例は女性ばかりで、これは発生した毒性が主に子宮収縮を誘発することによる。今回のケースも、妻だけが死亡し、ほぼ同量、同じものを食べた夫が死ななかった理由は、それしか考えられないであろう――

『同じものを食べた夫が死ななかった』

その一文に釘づけになった。

これだ、と思った。久仁子と別れ、恵美と一緒になる方法は、これしか考えられないであろう——。

文彦は久仁子へ、釣り上げた魚を眺める時と同じ、冷やかさと勝利の喜びの入りまじった視線を投げかけた。こいつはすでに刺し身を食っている。そして、いま、オゴノリも。

ゆるゆると口もとが緩む。笑いたくて頬の筋肉がぴくぴくと震えるのを止めることができず、好物の味噌和《あ》えを口に放りこんでようやくごまかした。

*

「くくっ」

突然、久仁子が体を痙攣させはじめ、テーブルに突っぷしてしまった。思っていた以上の即効性だな——文彦は冷静に時計を眺め、それから驚いた顔をつくって問いかける。

「ん？　どうした」

久仁子は下腹を押さえ、肩をふるわせて喘《あえ》いでいた。

「くくくくっ」

ばらりと前髪の垂れた顔がこちらを向く。文彦は息を呑んだ。久仁子は笑っていた。

「——何がおかしい？」

前髪の間からこちらを睨んでいる目に、不気味な光が宿っていた。

「……食べたね」

「何を？」

「さっきの味噌和え」久仁子は唇を鎌のようにつり上げた。「あれ、フキノトウじゃないのよ。本当のフキノトウはわたしの分だけ」

「やっぱり、何か仕組んでたな」

「なぁ〜んだ。気づいてたの。でも、もう手遅れよ。あなたのはフクジュソウ。よく似てるから気づかなかったでしょう。猛毒よ、特に心臓の悪い人には」

ほほほほほ。ダイニングに久仁子の耳ざわりな笑い声が響き渡った。オゴノリの毒は子宮だけでなく脳にも作用するのだろうか、常軌を逸した笑いに思えた。

だが、今度はこっちが笑う番だ。久仁子の声を遮るように文彦も大声で笑ってやった。

「なによ？　毒が頭に回った？」

横隔膜がねじれるほど笑った。可笑《おか》しくてしかたがなかった。

「そんなことだろうと思って、お前がビールを取りに行ってる間にすり替えといたんだ」

久仁子の目がガラス玉になった。零れ落ちそうなほど目を見開いて小鉢の味噌和えを眺めてから、文彦の靴下を扱う時の手つきで遠くへ押しやった。

笑いを残したまま怒っている久仁子の顔は、まるで般若《はんにゃ》の面だ。醜く歪んでしまったその顔に文彦はなおも嘲笑を浴びせる。

「お前こそ、食ったな」

喋らなくてもいいことなのに、全身に奇妙な高揚感が満ちてきて、つい言ってしまった。

「その酢の物はな――」

「オゴノリでしょ」

今度は文彦の目がガラス玉になった。

「なぜ、それを――」

「ふん、どこで仕入れてきた浅知恵だか知らないけど、こっちはずーっと前から、あんたを殺す計画を立ててたんだからね。山菜だけじゃない。海草も研究ずみよ」

久仁子が憑《つ》かれたように喋り続ける。大きくむき出した目の中の赤い血管まで見えた。

「生魚と一緒に食べなきゃ平気なのよね。おあいにくさま。お刺し身なんか食べてないから。食べたふりして、さっきビールを取りに行った時、流しへ吐き出してやった」

「なんだとぉ」

「なんだとは何よ」

「鬼」

「豚」

「人殺し」

「お互いさまよ」

久仁子が血走った目でねめつけてきた。文彦も睨み返した。般若の面と化した久仁子の顔を見ているうちに、にらめっこで負けた時のように吹き出してしまった。なぜ笑いが止まらないのか、なぜ喋らなくてもいいことまで喋ってしまったのか、その理由がようやくわかったからだ。

「なに笑ってんのよ」

そう言う久仁子も口を三日月型にしたまま、頬を痙攣《けいれん》させ続けている。般若というより獅子舞《ししまい》の獅子だ。

「うははは、お前だって浅知恵だ……だって、うはは、ははは、こ、このきのこ……」

「うふふふ、それはフェイント。クヌギダケ。安全なシメジの一種よ」

「ク、ク、クヌギダケ……」息ができなかった。苦しいのに笑いが止まらない。文彦は腹を押さえ、息もたえだえに言った。「違う、違う、こ、これはたぶん……うははははは」

久仁子が鍋の中のきのこをつまみ、寄り目になるほど目を近づけた。それから、いきなり放り捨て、ヒステリックな奇声をあげた。

「うほほほほっ、私としたことが、ほっほほほほほほほ」

「うひひひひ、同じこと、うひうひ、考えてたなんて、俺たち、ひっひひひ、似た者夫婦だな」

「ほほほほほほ、ほんとね」

「うひひひ、やり直してみる？　ひひひひ、ひっひっひ」

「ほほほ、まっぴら、ごめんよ、ほほほほほ、ほほほほほ」

*

安田家の食卓に、久しぶりに笑いが戻った。二人の笑い声はいつまでも続いた。異変に気づいた隣人が一一九番通報するまで、ずっと。

介護の鬼

「お義父《とう》さん、ご飯ができましたよ」

　ふすまをつつと開け、苑子《そのこ》は奥座敷へ顔をのぞかせた。床に臥《ふ》した善三の顔がかすかに紅潮したように思われたのは、苑子の気のせいであったろう。三カ月前に倒れ、寝たきりとなってしまった舅《しゅうと》の善三は、いまや完全に惚《ぼ》けてしまっているのだから。

　八畳の和室には善三の干し魚めいた体臭と糞尿の臭いがたちこめていたが、苑子は顔色ひとつ変えない。枕もとに置いた朝食の膳にまったく手がつけられていないことを確かめてから、義父の聞こえぬ耳につとめて明るい声を出した。

「あらあら、朝ごはん、ちっとも食べてないじゃないの。だめよぉ。体がもたないでしょ」

　子どもをたしなめるようにひとさし指をチクタク振って、昼食を載せた盆を置く。一人用の土鍋で炊いた五分がゆ。朝と同じメニューだ。火から下ろしたばかりだから、まだ泡をふいて煮立っている。ぐつぐつぐつ。

「今日はすごくいい天気なのよ。少し外の風にあたりましょうか」

苑子はしゃきしゃきと掛けぶとんをめくり、善三の浴衣《ゆかた》をはだける。この世代には珍しい六尺近い長身で肉付きもよかった善三は、ここ一、二カ月で見る影もなく痩せ細ってしまった。二の腕には血管ばかりが目立ち、浮き出た肋骨があじの開きを連想させた。もともとが偉丈夫《いじょうふ》であったぶんだけ、よけい哀れをさそう。苑子は片手でそっと顔を覆い、朝の膳を下げ、かわりに湯気を立てている土鍋を枕もとへ押し出した。

ぐつぐつぐつ。

南向きの掃きだし窓を開けると、部屋の中に風が吹きこんできた。二月中旬。春とは名のみの冷たい風だ。窓の外にはいまにも雪が舞い降りそうな灰色の空が広がっている。素肌に浴衣を着ただけの善三の体がぶるりと震えた。

「ほうらね、気持ちいいでしょ」

皮膚の下の頭骸骨がすけて見えるほど痩せた善三が、かたかたと歯を鳴らすさまに、苑子は思わず口もとに手をやった。うぐいすのようにのどを震わせる。指の間から抑えきれない声が漏れた。ぐふふふふ。

煮えたぎったおかゆを金さじでひとすくいし、善三の口もとへ運ぶ。生存本能であろうか、匂いに反応した善三が鼻をひくつかせ、口を近づけてきた。

「あわてない、あわてない」

苑子がさじを引くと、無表情の善三がまばたきをした。また近づけると、赤ん坊のようにぱくぱくと口を開ける。寸前で手を引っこめた。ガラス玉めいた目に、かすかに失望の色が浮かぶ。苑子はまたのどを鳴らして笑った。

「ほらほら、あ〜んして」

善三が青筋を立てて首を伸ばしてきた瞬間、さじをひっくり返した。ぽたり。はだけた胸に熱いかゆが垂れる。善三からは何の反応もない。苑子は頭の中で数をかぞえた。一、二、三……。

「ぐほっ」

三秒以上たってから、善三がうめき声をあげた。老人だから反応が鈍いのだ。着実に反射速度が遅くなっていることに苑子は満足する。なぁんて楽しいんでしょう。さて、ちゃちゃっと下《しも》の世話をしなければ。排泄の始末は介護の最大の苦痛だ。嫌でたまらないが、臭いがキッチンやリビングにまで立ちこめてしまうのは、もっとたまらない。

苑子が夫の剛士《つよし》の両親との同居を決意したのは十年前。剛士は長男だったし、あの頃はまだ共働きだったから何かと便利だろう、という言葉に誘われたのだ。やめておけばよかった。この十年に苑子が何をしたかと言えば、姑《しゅうとめ》の節子から箸の上げおろしにまでさんざん嫌味を言われ続けたあげく、箸の上げおろしもできなくなった節子の面倒を見させられただけ。ようやく節子が死んでくれたと思ったら、今度は舅の善三がこのありさまだ。

ちっ。おむつをはがした瞬間、苑子は舌打ちをした。始末が嫌だから少ししか食事を与えていないのに、なんでこんなにウンコが出るんだろう。悪臭が気にならないように、オロナインをたっぷり塗った苑子の鼻の下は洟がたれたように光っていた。

子どものいない苑子は、かつてオムツを取り替える行為に憧れに近い感情を抱いていた。だがそれはムーニーちゃんやぞうさんパンパースにかぎっての話だ。成人用のデカパンみたいなオムツと、肉が垂れ落ち、腫れ物がぶつぶつできた尻など可愛くないどころか、正視に耐えない。

痩せさらばえてだいぶ体重は減っているものの、若い頃は国体出場経験もある柔道選手だった善三の体はうとましいほど大きくて、扱いにくいことこのうえない。

しかも、だ。下の世話を始めるまでは知らなかったのだが、善三のいちもつはやたらに大きい。同じ親子なのに、夫の剛士よりずっと。なんとなし腹が立った。同じ店の同じ包装の福袋でスカを引いた気分だ。

生意気だわ。もう用済みのくせに。助さん、格さん、懲《こ》らしめてやりなさい。はいはい。苑子はまだ盛大に湯気を立てているおかゆをひとさじすくい、善三のなまこみたいなそれに垂らした。
一、二、三……。
善三がまた数秒遅れで苦痛にうめく。

ほっほっほっほ。ああ可笑《おか》しい。苑子は心の中で口を0の字にして笑った。お前は私の玩具《おもちゃ》だよ。女王様とお呼びっ！

舌を伸ばして金さじを舐めながら今度はどこへ垂らしてやろうかと考えているうちに、素敵なアイデアがひらめいた。おかゆを垂らすなんて生ぬるいわ。土鍋に直接アレを突っこんだらどうだろう。考えただけで胸がふるふる震えた。

土鍋はまだ素手で触れることができないほど熱い。おしめをミトンがわりにして、鍋を善三の股間に据え、金さじを善三のペニスにあてがう。今度は実際に声に出して笑った。

「おほほほほっ。さぁ、いくわよ。覚悟おし。おほほおほほほほほほ」

ひとりで高笑いをしていたその時、

玄関のチャイムが鳴った。

舌打ちをして立ち上がる。いったい誰だろう。いいところだったのに。新聞の勧誘なら鼻先へドアを叩きつけてやるのだが、もしかしたら最近よく訪ねてくる信用金庫の若い行員かもしれない。念のために玄関ホールの鏡の前で口紅を塗り直し、唇をぱふぱふさせ、ほつれ毛を整える。鼻の穴がオロナインで光っていることに気づいて、あわてて指で拭きとった。

口紅なんか塗り直す必要はなかった。ドアの向こうに立っていたのは矢島だった。善三の柔道仲間であり、善三が現役引退後、柔道の経験を生かして始めた接骨院の患者でもある老人。ペンギンみたいな体形。ガニ股でぺたぺた歩き、年寄りのくせにやけに血色がいい。善三の友人はみんなこの手合いだ。

「やぁ、近くに寄ったので、善さんの顔を見に来てしまいました。迷惑じゃなければ、ちょっと上がらせてもらおうかと」

なんちゃって、本当は私の顔を見に来たんじゃないの。苑子は矢島の視線を意識したはかなげな笑みを浮かべ、小娘みたいにキーの高い声をあげた。

「迷惑だなんて。どうぞどうぞ」

「で、どうです。善さんは？　少しは快方に――」

苑子は微笑みかけてから、少しだけ頬をこわばらせる、泣き笑いの顔で首をゆっくり横に振った。この三カ月でずいぶん上達した表情だ。効果はてきめん、矢島の顔がみるみる曇っていく。

「申しわけない、よけいな事を聞いてしまったかな……」

「高橋先生は認知症ではなくて、一時的な意識障害か抑鬱《よくうつ》状態かもしれないから、と励ましてくださって。ちょっとしたきっかけで心も体も元に戻る可能性はあると——」

そこで苑子は言葉を詰まらせた。後のせりふはこうだ。そんなことあるわけないでしょ。あってなるものですか。善三には一日でも早く死んでもらわなくちゃならないのだから。いまいましいことに、やはり柔道仲間の高橋クリニックの院長が、何を考えてるんだか、よけいな診断を下すものだから、ホームヘルパーをおおっぴらに使える、介護保険の「要介護」認定を受けることができなかった。

「いま、ちょっとお下の世話の途中ですので」

矢島を廊下に待たせて、大急ぎで窓を閉め、善三の股間に置いた土鍋を片づけ、ふとんをかけ直す。

一カ月前の少しは頭がはっきりしていた善三しか知らない矢島は、呼びかけても反応を示さない姿に声を詰まらせた。

「おい、善さん、俺だよ、わからないのかい。こんなに痩せちまって。なぜこんなになっちまうんだ。あの偉丈夫が、関節技の鬼と呼ばれたあの善さんが……」

痩せているのが私のせいみたいな言い方じゃないの――ちゃんと食事を与えていないのだから、実際にその通りなのだが――しゃくにさわったから、泣きまねをしてやった。

「……すいません、私が至らないばかりに」

薬指で目頭を押さえて、ついっと矢島から顔をそむける。オロナインが目にしみたから、自分でも驚くほど早く涙が出た。矢島がおろおろ声を出す。

「いやいや、苑子さんのせいなんかであるものかね。誰のせいでもない。病いと年のせいだよ。わかっちゃいるのだけれど、ともに青畳で汗した仲間の変わり果てた姿を見るのが辛くて、つい……苑子さんはほんとうによくやっているよ、まったく頭が下がる」

苑子は薬指でこっそり下まぶたを引き下げて、舌を出した。正座を崩し、スカートが上にずれるままにする。サービス。まだ四十になったばかりの人妻の白い太もも。矢島の年齢の男には、たまらない色香であるはずだ。最近、鮮魚ストアの礼儀知らず男の店員からオバチャン呼ばわりされているる苑子は、男の視線に飢えていた。

「そんな……そんな……」

指の間から、ちらりと矢島をうかがう。いやらしい視線を苑子の太ももに投げかけていると思いきや、沈痛な面持ちで善三の顔ばかり見ていた。腹が立ったから嗚咽してやった。矢島があわてて振り返る。

「すまんすまん、そうだったね。私なんかより苑子さんや剛士君のほうがよほど辛いんだよね。妙な言い方だけど、善さんは幸せ者だよ。お嫁さんにこんなに良くしてもらって。私なんぞ実の娘から、うちじゃ在宅介護は無理だからボケたら施設に入ってくれって言われているぐらいだもの。この間も机の上に老人ホームのパンフレットがこれ見よがしに置いてあってね……」

矢島が手の甲のしわを伸ばしながら愚痴をこぼしはじめた。

「情けない話だよ。いっそ埼玉に住んでる下の娘の世話になろうかって女房と話しているんだ。他人の世話にはなりたくないからねえ。やっぱり身内に面倒見て欲しいもの。肉親のきずなっていうのかな。そういう美徳を失いたくはないよねえ。日本という国はそういう年長者への尊敬と情愛で成り立ってきたのだからね」

矢島のあそこも熱いおかゆにひたしてやろうかと思った。何を言っているんだ、このジジイは。糞尿の始末に尊敬も情愛もきずなもへったくれもあるもんか。そういう妙な幻想にしがみついて、ありもしない善意に期待しようとするから、私みたいに苦労させられる人間がいなくならないんだ。

長居をされたくはなかったが、出さないわけにもいかない。キッチンで茶を淹れて戻ると、矢島は善三の耳もとへ何事か語りかけているところだった。苑子が怪訝な顔をつくると、照れた声を出した。

「……いやなに、ボケには刺激と呼びかけが大切だという話を思い出して……苑子さんには言わずもがなだろうけれど、なにげない言葉が本人にとっては発奮材料になるって言うじゃないか。たったひと言で正気に戻ることだってあるって聞いたものだから」

よけいなことするんじゃないよ。唇を微笑みのかたちに引き結んで、その言葉が飛び出すのを抑えた。

「私もいろいろやってはいるのですが……」

そう、いろいろやっている。部屋に昔を思い出させるものは置かない。体は極力動かさない。テレビやラジオの音もこの部屋には届かないように注意している。

「奥さんが亡くなって気力が失《う》せちまったのかね。おしどり夫婦だったからねぇ、善さんと節子さんは」

「あ〜っ」

善三がいきなり声をあげたから、苑子は驚いた。ここ一カ月は声らしい声を出すことなどなかったのだ。

「ん、なんだい善さん、何か言いたいのか?」

矢島が善三に顔を近づけ、ふとんの中の手を握ろうとする。あ、まずい。浴衣しか着せていないことがバレてしまう。苑子は善三を気づかってにじり寄るふりをして矢島を押しのけた。

「お義父さま、しっかり」

善三の目玉がうろうろと動いている。矢島の顔と声がよけいな刺激になってしまったのかもしれない。せっかくここまでになったのだ。回復させてなるものですか。

「また発作ね。興奮しちゃったの?」

布団の上から善三の体をさすり続ける。非難と謝意を半々に交ぜた視線を走らせると、矢島がようやく重い尻を浮かせた。

「……なんだかかえって悪いことをしてしまったようだね。申しわけない。今日はもうおいとまするよ……また会いに来てもいいかな」

「ええ、いつでも。お義父さまも喜びます」

玄関のドアが閉じると同時に、苑子の顔から微笑みが消えた。また会いに来てもいいか、だってさ。ふん、どうせ会いたいのは私なんでしょうに。玄関ホールの姿見の前でモデル立ちをしてみた。髪を両手でかき上げ、唇を「わぉ」の形にする。私もまだまだ捨てたものじゃない。きちんとお化粧して、素敵な服を着て、人より高いアクセサリーさえ身につければ。

四月に同窓会がある。五年ぶりだ。前回の時には模造真珠しかなくて、ずいぶんみじめな思いをした。だから今回は絶対――

春までに善三に死んで欲しかった。ねちっこくお金を貯めこんでいることは知っている。相続ってすぐにお金がもらえるのかしら。まぁいいわ、とりあえず葬式の費用を理由に預金を引き出してしまえばいい。節子の時も今回も知らんぷりのくせして難クセばかりつけてくる義姉に文句なんか言わせるものですか。節子によく似た小姑の房枝の顔を思い浮かべたとたん、鏡の中の苑子の顔が般若《はんにゃ》の面になった。足早に奥座敷へ戻り、ふすまを荒々しく開け放つ。

「静かにしてなさいって言ったでしょ」

そんなこと、言ってはいないが、善三の頰を思いきりつねった。痩せているくせに皮がだぶついているから、気持ちいいぐらいよく伸びる。節子の頬もよくこうしてつねったものだっけ。あの時は病院の中だったから、人目を気にしながらだったけれど。あれからもう三年。なつかしいわぁ。両手で善三の頬をびょんびょん伸ばしながら、苑子はしばし思い出にふけった。まだ元気だった頃の節子のことまで思い出してしまって、知らず知らず指先に力がこもった。

「ね、知ってる？　あんたの奥さんにもこぉおしてやったのよ。あの鬼ババアの節子にもね」

いつもは天井を見つめているだけの、薄く開いた善三の目玉が泳ぎはじめたから、ほっぺたを左右に伸ばして、カエルの顔にしてやる。いい事を思いついた——少しイメ・チェンしてあげましょう。

ポケットに入っていた口紅を善三の唇の周囲に塗り、三倍ぐらいの大きさにした。まぶたに目玉を描き、まつげもつけ足した。寝たきりになってもしかめ面だった善三の顔がオバケのQ太郎になった。

「ふふふ、その顔のほうがいいわね、明るくて好印象よ」

三年前、肋骨骨折で長期入院し、そのまま痴呆状態になった節子もよくドラえもんにしてやった。化粧が濃いだの服が派手だの家事もろくにしないだの礼儀知らずの家系だのと、私にさんざんケチをつけた罰だ。

病床の善三を見るたびに節子を思い出す。善三に対するいじめの理由の半分は、あの鬼婆へのまだ足りない復讐だ。もともとこの舅《しゅうと》だって好きじゃない。ふつう舅は古女房より若い嫁を可愛がるものだろう。それなのに善三はいつだって「節子、節子、節子」だった。苑子がわざと目立つところに下着を干しても知らぬ顔。風呂ものぞきにこなかった。

「まったく、ふたこと目には節子、節子って。あんなババアのどこがよかったんだ、言ってごらん」

目玉を描いた善三のまぶたがぴくりと動く。ちょぼちょぼとわずかな白髪しか残っていないヒヨコみたいな頭に毛を三本描くと、もう飽きてしまって、苑子は口紅を放り出した。

「そんなに節子がいいなら、早くいっちまいな、節子のところに！」

捨てゼリフを残して、家畜小屋じみた臭気のこもる部屋から逃げ出し、隣室へ足を向けた。もううんざりだった。毎日毎日年寄りの介護介護介護。夫の剛士は、節子の痴呆が始まった時はひどくうろたえ、毎日のように病院へ通って世話を焼いていたが、善三にはうってかわって冷淡で、何もかも苑子まかせだ。

もともと折り合いの悪い父子だ。少年時代、体が丈夫ではなくスポーツが苦手だった剛士は、善三に柔道家流のスパルタ教育を受けたことを、いまでも恨んでいるのだ。仲が悪いくせに家賃が節約できるなんて理由で同居なんかするから、こういうことになるのだ。

早く自由になりたかった。昔みたいに奥さまゴルフスクールへ行きたかった。もうすぐだ、もう少し辛抱すれば晴れて自由の身。そしてこの家も善三夫婦の財産も私のものだ——。

奥座敷の隣は六畳の和室。もともと善三夫婦が住んでいた平屋を、二世帯の二階屋に増築した家だから、一階はこまごまと小部屋を並べた古臭い間取りがそのまま残っている。

部屋には節子が使っていた桐だんすや鏡台を置いたままにしてあったが、善三が倒れてすぐに全部粗大ゴミに出した。いまは苑子のクローゼットがわりに使っている。

パイプハンガーに吊るしてある服をしばらく眺めて、同窓会に何を着ていくかを考えた。やっぱりこれだわね。クリーニング店の袋につめたままのツーピースを手に取る。パールピンクのシャネル。へそくりをはたいて、ブランド専門のリサイクルショップでようやく手に入れたのに、節子から「いい年をして膝こぞうを出すなんてはしたない」となじられた服だ。一緒にダンスを踊るように両手でひろげ、体にあてがった。久しぶりに着てみましょう。

入らなかった。スカートのファスナーが途中で止まってしまった。むりやり引き上げようとしたら、ココ・シャネルが悲鳴を上げた。

介護のためにゴルフスクールをやめてしまったせいだ。ストレス解消にスナック菓子ばかり食べているせいだ。ということは全部、善三のせいだ。苑子の眉がきりきりとつり上がった。お仕置きしなければ。

もう一度、おかゆを垂らしてやろう。もっとよく効くようにお湯をうんと増やしたおかゆを。今日という今日は許さないからね。苑子は腕まくりしてダイニングを抜け、キッチンに続くガラス戸を全開にした。流し台に下げておいた土鍋を手にとる。そして首をかしげた——。

おかしいな。

土鍋は空だった。二さじしか味わわせていないはずなのに。捨てたのだっけ。もったいないから善三に食べさせるおかゆは、糊状になるまで使いまわすことにしているのだけれど。矢島の突然の来訪にあわてていたのだろうか。

生ゴミ容器から取り出して食べさせようかとも考えたが、もっと名案が浮かんだ。

冷水責めだわ。氷水で冷やしたタオルで全身を拭いてやる。善三が活《い》け造りの魚みたいにふとんの上でぴちぴち躍るさまは、いつ見ても傑作なのだ。今日はしばらく心臓の上にタオルを置いて放っておいてみようか。

くすくす笑いをこらえながら、苑子は氷をたっぷり浮かべた洗面器を奥座敷へ運ぶ。小動物のように本能で危険を察知したのだろうか。寝返りもろくに打てないくせに、善三はふとんの中に体をもぐりこませていた。

「隠れたってむだよ、あんたはどこにも逃げられないんだから」

ふとんを勢いよくはぎとる。苑子はあやうく悲鳴をあげそうになった。両手で口を覆い、コンタクトレンズが落ちそうなほど目を見開いた。

ふとんはもぬけの殻だった。

苑子の頭から五秒ほど脳味噌が抜け落ちてしまった。脳味噌が戻ってきた頭に最初に浮かんだのは、口にするのも忌《いま》わしい言葉だ。

徘徊?

冗談じゃないわよ、寝たきりだってこんなに手間がかかるのに。

どこをうろついているのだろう。外へ出て行ったのだろうか。それなら、しばらく放っておこうかしら。隣近所に私がいかに辛い日々を送っているかをアピールする絶好のチャンスだ。運良くクルマにはねられるってことだってあるかもしれないし。

奥座敷の掃き出し窓はちゃんと閉まっている。玄関をのぞいてみたが、ドアには内カギがかかったままだった。キッチンへ戻って勝手口を確かめたけれど、やはり外へ出た気配はない。

乾いた唇をちろりと舐めて、苑子は鎌首をもたげ、あたりを見まわした。細めた目がダイニングテーブルの上で止まる。自分の昼食用に買っておいた、クロワッサンサンドとチーズケーキが消えていた。ジジイめ、空腹に耐えきれずに迷い出たか——。

嫌な予感がして冷蔵庫を開けて見たら、やっぱりだった。野菜室に齧りかけのにんじんやきゅうりが散らばっていた。卵ケースにいくつか残っていた卵が消え、冷蔵室のあちこちに殻が突っこんであった。今夜も夕飯はいらないと剛士が言っていたから一人分だけ買っておいた霜降り和牛のステーキ肉もなくなっていた。百グラム六百円もしたのに。

般若の顔で卵の殻をつまみあげていた苑子は、かすかな物音に耳をそばだてた。

どこかで何かが動いている。耳に意識を集めると、最初は冷蔵庫の振動音にまぎれるほど小さかった音が、しだいにはっきりと聞こえるようになった。衣《きぬ》ずれの音。廊下の方角だ。

歩くことができない善三が床を這いまわっているのだ。蛆虫《うじむし》みたいに。苑子はキッチンを出て、ダイニングのドアを蹴り開けた。

廊下に善三の姿はなかった。奥座敷へ首を突っこみ、戻っていないか確かめた。やはりいない。

血走った目で周囲を見まわしていた苑子の視線が一点で止まり、すいっと細くなった。閉めたはずの六畳間のふすまが開いている。見ぃつけたっ。苑子は薄く笑う。部屋へ連れ戻して、私の霜降り和牛に手を出したらどうなるかを思い知らせてやらねば。犬のしつけみたいに。

音を立てて開け、勝ち誇った声を出した。

「ハウス！　散歩はもう終わりよ」

その言葉は誰もいない六畳間にうつろに響いただけだった。語尾が悲鳴に変わった。部屋の真ん中にピンク色の布きれが落ちている。ずたずたに引き裂かれたシャネルのツーピースだった。

きぃぃぃ〜っ。苑子はムンクの叫びのポーズで絶叫した。ボロ布と化したシャネルにすがりつき、胸にかきいだき、叫びながら部屋を飛び出した。きぃぃぃぃ〜っ。ノブをむしりとる勢いでトイレのドアを引き開ける。いない。

納戸がわりの四畳半を開け放つ。いない。足音を荒らげてバスルームへ向かった。後はここしか考えられなかった。もし中で這いずっていたら浴槽に頭をぶちこんでやる。一分、いや二分でも三分でも。いくらボケ老人だろうと許すものか。

だが、浴室にも善三の姿はなかった。念のためにフタを開けて浴槽の中も確かめたが、善三がうつぶせで浮かんでいるという苑子の希望的観測はあっさり打ち砕かれた。どこへ逃げたのだろう。早くつかまえねば。先週、床のワックスがけをしたばかりなのだ。汚されたくなかった。目を閉じて周囲の気配に耳をすます。

風が窓を叩く音。遠くの車道の喧騒。置き時計が時を刻む音。庭木のそよぎ。うぐいすの声。大蛇が這う音――ん？

大きな生き物が体をくねらせて移動する気配がした。上からだ。一瞬、善三が天井にヤモリのように張りついている姿を想像してしまい、あわてて目を開けた。

もちろん天井に善三が張りついているわけがない。とすると、二階？　階段を昇ったのか？　さっきまで身動きひとつできなかったくせに。二階は苑子と剛士のプライベートスペースだ。善三が糞尿をまき散らして苑子たちの寝室やリビングを這いまわっている。そう考えただけで鳥肌が立った。

玄関に立てかけてあるゴルフバッグからクラブを一本抜き取って、二度、三度、木刀のように振ってみる。空気を切り裂く小気味のいい音がした。苑子の頭の中にはこれからのシナリオがすっかりできあがっていた。

善三を思い切り叩きのめす。心ゆくまで。気絶するまで。そして人にはこう訴えるのだ。

「お義父さまがわけのわからないことを口走って、いきなり襲いかかってきたんです。お義父さま、やめてください、いくら叫んでもだめでした。ブラウスを引きちぎられて……私は無我夢中で手さぐりをしました。ちょうどゴルフクラブがあったから、軽く、ほんとうに軽く叩いたら……ごめんなさい。私が悪かったんですぅ」

そして、よよと泣き崩れる。寝たきりだったはずの善三が二階で倒れているのを見れば、誰だって信じるはずだ。善三がまともじゃなかったことは、矢島が証言してくれるだろう。本当はアイアンを使いたいところだが、三番ウッドにした。死なれても困る。苑子の世間体にかかわるし、第一、死体なんか気持ち悪くて見たくない。

今度こそ「要介護」の、それも重度の認定を受けることができるはずだ。いや、在宅では危険ということになって施設送りにすることもできるだろう。クラブを握りしめ、怒りよりも期待に震えはじめた胸の動悸を抑えながら、苑子は階段を昇りはじめた。

一段、二段、慎重に足を運びつつ、油断なく階上の気配に耳をすます。一段ごとに善三の糞尿の臭いが強くなってくる気がした。

三段目で何かを踏みつけた。ぬるぬるした不快な感触。小さく叫んで足をひく。あやうく下までころげそうになった。ソックスの裏を眺めた苑子の顔が歪んだ。

肉だ。食いちぎったステーキ肉の脂身。あのジジイ、生肉を食らっているのだ。いつか見た地獄絵巻の餓鬼の姿が、頭の中で善三とダブって、苑子はクラブを関節が白くなるほど握りしめた。

中折れ階段の踊り場まで来ると、階上で音がした。

ずるり。

蛇に似た巨大な生き物が蠢《うごめ》く音。心なしか最初に聞いた時より動きが素早くなっている気がする。苑子はしばしためらった。怖くなってきたのだ。いくら寝たきりだったとはいえ、柔道五段の大男。しかも頭は完全にボケている。暴れ出したら手に負えないかもしれない。戻ろうか。そう思いはじめた苑子の頭の上に何かが降ってきて、かつらのようにすっぽりとかぶさった。

ほとんど白目になるまで目玉だけ上に向けると、階段ホールに消えていく浴衣のすそが見えた。頭がじっとり冷たい。おそるおそる頭の上の何かをむしりとった。

おむつだった。しかもたっぷり濡れている。

きぃぃぃ〜っ。苑子は唇を歪めて超音波に近い叫びをあげる。クラブをめちゃめちゃに振りまわしながら二階へ突進した。もう許さない。許すものか。

一気に駆け上がりざま、階段ホールに手あたりしだいクラブを叩きつける。だが、磨いたばかりのフローリングにへこみをつくっただけだった。ジジイめ、今度はどこへ隠れた？　苑子は獲物を狙うカマキリの素早さで首を右にねじり、舌なめずりをした。こっちか？　二階のＬＤＫ。昇り降りが面倒だから最近は二階のキッチンは使っておらず、冷蔵庫も空だったが、それを知らない餓鬼と化した善三が這い入った可能性は高そうに思えた。

ゴルフクラブを構えてリビングへ足を踏み入れた。壁に背をあずけてじりじりと部屋の奥へ進む。

ソファの後ろが怪しかった。腰をかがめてのぞきこむと、思ったとおりソファの短い足のすき間の向こうに、うずくまっている影が見えた。

ぬき足さし足で近づき、ソファの座部で立て膝になる。奇声をあげて、背もたれの向こうにクラブを突き立てた。何度も何度も。

とどめだ。クラブを大きく振り上げる。ヘッドにブラジャーが引っかかっていた。

違った。干そうと思ったが面倒くさくなってほったらかしにしてあった洗濯物の山だった。

窓から顔を出してベランダを見まわした。ここにもいない。

ちまちまと小部屋に分かれた一階と違って、二階のＬＤＫは広々としたワンルームだ。隠れるとしたら、対面式キッチンのカウンターの下だろう。窓にぴったり体を張りつかせ、斜め手前からキッチンが見通せる位置まで慎重に体を移動させた。

窓のへりまでたどりついて、鼻の下を長く伸ばしてキッチンをのぞきこむ。ここから見るかぎり、何かが潜んでいる気配はない。しかし油断は禁物。なにしろむこうはなめくじみたいに床を這いずっているのだ。飾り棚から木彫りの熊の置物をつかみとり、カウンターの下までしのび足で近づいて、中へ放りこんだ。

善三の悲鳴を期待していたのだが、ガラスと食器の割れる音がしただけだった。カウンターの真下へ落下させるつもりだったのに、勢いあまって食器棚まで飛んでしまったのだ。

一度も使わずに飾っておいたマイセンが粉々になっていた。絶望的なまなざしで絵皿の残骸を眺めていた苑子を嘲笑うように、背後で遠ざかっていく音がした。ここじゃない。階段ホールだ。しかもいままでのような床をくねる音ではなかった。

ぺた、ぺた、ぺた。

湿った足でフローリングを踏みしめれば、こんな音がするだろう。その事実が意味するものを理解するまでに五秒ほどかかった。

歩いている。善三がいつの間にか歩けるようになったのだ——。

虫が這うような感触がうなじを伝う。冷や汗だった。何が善三を蘇らせてしまったのだろう。いくら考えても苑子にはわからなかった。汗ばむ手でクラブを握り直して、怖《お》じ気づいた心をけんめいに奮い立たせた。

相手は老いぼれの病人じゃないの。怖がることなんかない。百六十ヤードは飛ばせる私のスイングを、あのヒヨコ頭にお見舞いしてやろう。苑子はクラブをひと振りして、重い室内の空気を切り裂いた。

刑事ドラマのように半開きのドアに張りつき、人影がないことを確かめてから階段ホールへ躍り出る。

ホールの先は短い廊下だ。右手の浴室から水音がしていた。あのジジイめ、今度は何をしている。二、三歳児並みのやりたい放題だ。

片手でそっと浴室のノブをまわし、もう一方の手でゴルフクラブを槍のように構える。ひとつ深呼吸をした。ドアを一気に開け放ち、クラブの槍を突き出して中へ飛びこんだ。

誰もいない。

正面の洗面化粧台で、蛇口からちろちろと水が流れ落ちているだけだ。三面鏡に髪を振り乱し、目をぎらつかせた自分の顔が映っている。苑子は目を疑った。寝起きの時以上に醜く見える己の顔にではない。鏡に文字が書かれていたのだ。三面鏡の右側、口紅を使って書きつけられた赤い文字は、乱れてはいたが、はっきりとこう読めた。

『節子よ』

文字のはねを大仰《おおげさ》に払う筆跡は、間違いなく善三のものだ。左側の鏡にも何か書いてある。こちらはさらに筆が乱れていて、読み取るのに少し時間がかかった。

『無念は晴らす』

背筋が凍った。

善三が覚醒してしまったのだ。いつから？　矢島が来た時？　その前から？　どちらにしろ、もうすべてを知られてしまったのだ。

言葉にならない叫びをあげて、洗面台にクラブを叩きつける。何度も何度も何度も。

オプション施工費用二十三万円もしたシャンプードレッサーだったが、そんなことなど頭からすっかり消し飛んでいた。鏡を叩き割り、タオル掛けをひしゃげさせ、棚からスキンケア化粧品の容器や歯ブラシを払い落とし、それでようやく我に返った。全力疾走を終えた時のように肩で息をして、ほつれ毛をかき上げる。

割れ残った鏡の破片に、善三の顔があった。頭のてっぺんに毛が三本。目と口のまわりが赤く染まったオバQの顔。さっき落書きした通りの顔だったが、その表情はさきほどまでの感情を失ったものではなかった。汗に溶けはじめた赤い落書きの目の中で、本物の善三の瞳が憎悪に光っていた。

「ひっひぃ〜っ」

背後に向き直り、ゴルフクラブを打ちおろす。壁に叩きつけてしまい、クラブが途中でぽきりと折れた。

廊下に顔を出した時にはもう姿を消していた。信じられない素早さだった。歩けるどころじゃない。走って逃げたのだ。善三は短時間のうちに驚異的に体力を回復させている。ゾンビ並みの生命力で。

苑子は自分が小きざみに震えていることに気づいた。折れ曲ったクラブを放り出し、震えを抑えようとして両手で体をかき抱いたが、逆効果だった。腕も震えていたからだ。今度こそ全身で善三を恐怖した。突然、思い至ったのだ。ウール四七パーセントのシャネルを引き裂く力が、どれほどのものかを。病に倒れる直前まで、毎朝腕立て伏せ百回をかかさなかった善三の体力を。お仕置きどころじゃない。ここから逃げなくちゃ——でも、どこへ？

ドアを出て右に行けば、寝室。左へ行けば階段ホール。善三はどちらかに潜んでいるはずだ。どっちだろう。時限爆弾の二本のコードを前にしたハリウッド映画の主人公の心境だった。生唾をのみこんで喉を湿らせる。いつまでも迷っている時間はない。こちらから仕掛けてこないことがわかれば、善三のほうが襲ってくるだろう。

恐怖でふくらんだ目を左右に走らせた。階段ホールへ向かい、下まで駆け逃げるほうが得策に思えたが、すくんでしまった足を長く動かす自信がない。結局、寝室を選んだ。あそこならドアにカギがかかる。同居を始めて数年目、夫婦の寝室に節子が勝手に入りこむのに業《ごう》を煮やして、剛士につけさせたのだ。

廊下へ一歩足を踏み出す。いまにも善三が飛び出してくる気がして、うなじの毛が逆立った。二歩目で寝室のドアノブに手をかけて、中へ身を躍らせた。振り向きざまにドアを閉める——

閉まらなかった。

腕に力をこめたが、やはり閉まらない。何かが挟まっているのだ。ドアの下を見た。何もない。とすると……。苑子はゆっくり顔を上げた。

頭のすぐ上に、青白い手が突き出ていた。関節が瘤《こぶ》になった五本の指が巨大な蜘蛛《くも》のように蠢《うごめ》き、つたい降りてきて、苑子の髪をわしづかみにしようとしている。口から、沸騰したやかんの音がほとばしった。苑子は必死でノブにしがみつく。すき間から這い入ろうとしている指を、力まかせにドアで挟みつける。小刻みに開閉させて、何度もドアを叩きつけた。三回、四回、五回。指は苦痛に痙攣《けいれん》してカギ爪の形になり、ぬるりとドアから消えた。

カギをかけ終えても、まだ不安だった。バリケードをつくらなくちゃ。くずおれそうな膝を奮いたたせて立ち上がり、クローゼットハンガーを引きずってドアの前に倒した。その上にコタツテーブルを載せる。座椅子、エアロバイク、出しっ放しの布団、手当たりしだいに積み上げた。

寝室のあらかたのものを積み、ドアの前に小山をつくると、苑子は荒く息を吐き、バリケードに背を預けてへたりこんだ。

汗で張りついた髪を額からはがしているうちに、侵入口がまだ残っていることに気づいた。

窓だ。半分開いたままで、カーテンが風に揺れている。寝室の窓はベランダでリビングとつながっているのだ。

立とうとしたが体が言うことをきかなかった。恐怖と疲労で腰が抜けてしまったのだ。苑子は窓ぎわまで蛆虫《うじむし》のように這いずっていった。早くしないと、善三が来る。ほんの数メートルの距離がロングホールのように長く感じた。

あと二メートル。

窓を閉めただけじゃ安心できない。あそこにもバリケードをつくらなくちゃ。

あと一メートル。

剛士でも誰でもいい、誰かが異変に気づくまでここに立てこもるのだ。

窓の桟にすがりつくように体を起こし、震える手で閉める。カーテンが引っかかったがそのまま強引にクレセントを押し下げた。ひたいを窓ガラスに押しつけたまま、苑子はずるずるとその場に崩れ落ちた。

安堵の息を吐いた瞬間、頭の隅に小さなクエスチョンマークが浮かんだ。何かがおかしい。でもその何かがわからなかった。

ぼんやりと目の前の窓を見つめる。とんでもない忘れ物をしている気がした。最初にここへ入った時と、何かが違うのだ。苑子は思い出そうとした。寝室に飛びこんだ時のことを。

ドアノブに手をかけ、部屋に入り、誰もいないことを確かめ、そしてドアを閉めようとして——ようやく思い出した。さっき、ここへ入った時には、窓は閉まっていたはずだ。

苑子は錆びたカランのようにぎくぎくと首をまわす。

右を見た。

再びぎくぎくと首をまわした。

今度は左。

目の前に善三の顔があった。

＊

いつものことだが、夜遅く剛士が帰宅すると、玄関の灯はすでに消えていて、開けたドアの先は真っ暗だった。残業疲れがどっと出た。何時に帰ろうが玄関の照明ぐらいつけておいて欲しいものだが、電気代の節約だと言って、苑子は早い時刻に消してしまう。

「いま帰ったぞ〜」

返事がないことはわかっていたが、いちおう声をかけた。この時間ならまだ起きているはずだが、苑子は夫にかける声も節約するのだ。

暗い廊下を歩くと、異臭が鼻をついた。またもらしやがったな。剛士は顔をしかめ、口だけで息をして奥座敷の前を通りすぎる。クソ親父め、文字通りクソ親父になりやがった。

三年前の節子の痴呆は剛士にとって大きな衝撃だったが、今回の善三の場合、ただ不快なだけだ。男は強くあれだの、日々是《こ》れ鍛練だの、偉そうなことばかり言いやがって、いくら体を鍛えたって同じだ。最後は自分のクソの始末もできやしないじゃないか。

ダイニングテーブルに鞄《かばん》とコートを投げ捨てた。夕飯はいらないと言っておいたのに、食卓には料理が並べられている。筑前煮《ちくぜんに》にだし巻き卵にきんぴらごぼう。少し驚いた。冷凍食品愛好家の苑子が、こんな手のこんだ和食をつくるのは久しぶりだ。しかも剛士の好物ばかり。

珍しく今日は機嫌がいいらしい、と思ったのもつかの間、水音がしているキッチンを振り返ると、いつもは開け放してあるダイニングとの仕切り戸が、剛士を拒絶するように閉ざされていた。曇りガラスにぼんやり映っている人影へ声をかける。

「おい、臭いぞ、オヤジの部屋」

返事はない。どちらにしろもう何年も、苑子が剛士に向けてくる顔に笑顔などないのだが、善三が倒れてからは仏頂面《ぶっちょうづら》ばかりになった。自分は疲れてるから、俺にやれってか？　いつになく手間ひまをかけた夕食は、剛士へのあてつけらしい。腹が立ったが、何かひとこと言えば、十倍になって返ってくることは目に見えていた。こういう時には、とりあえずご機嫌をとっておくにかぎる。

「そういえば、この間のハワイの話、なんとかなりそうだ。会社を休めそうだよ。連休あたりで予約しとくか。親父もその頃には、くたばってるだろうし、金も入るしな」

答えはない。がしゃがしゃと手荒く食器を積み上げる音がしただけだ。剛士はわざとらしくため息をついた。

「わかったよ、俺がやる。お前にも悪いとは思ってるよ。あんな往生際《おうじょうぎわ》の悪い親を持っちまって。あのクソ親父、体だけは丈夫だからな。いっそ顔に濡れタオルでもかぶせっか」

半分は本気の軽口を叩いて奥座敷へ向かう。背後で皿が割れる音が聞こえた気がした。

「起きろ、クソジジイ」

子供の頃、さんざんしごかれ体罰を食らった恨みをこめて、すっぽりふとんをかぶった頭を蹴り上げたが、人のかたちに盛り上がった床の中はぴくりともしない。手荒く掛けぶとんを引きはがした。剛士の顔から目玉がこぼれ落ちそうになった。

寝ていたのは善三ではなかった。

「おい、お前、何やってるんだ」

苑子が口から泡を吹き、白目をむいていた。かかえ起こして体をゆすると、小さくうめいたが、新しい唾液の泡を吹いただけだった。体をゆするたびに軟体動物のように手足がぐにゃぐにゃ揺れる。関節をはずされているのだ。部屋に充満した糞尿の臭いは善三のものじゃなかった。苑子が失禁していたのだ。

剛士の頭からは思考がはじけ飛んでいた。ただの条件反射で口から言葉がこぼれる。

「だ、だ、誰が、こんなことを……」

キッチンの水音が止まった。剛士の耳に誰かが廊下をゆっくりと近づいてくる足音が聞こえてきた。

予期せぬ訪問者

俺のせいじゃない。

流しで手を洗いながら、真っ白になってしまった頭の中で、平岩隆三《ひらいわりゅうぞう》は同じセリフを繰り返した。

俺のせいじゃない。俺は悪くない。そう、これは事故だ。ちょっとした手違いだ。清潔恐怖症じみた執拗さで両手にこびりついた血を落とす。爪の中にもしみこんでいたから、金ダワシで指を一本一本こすった。

キッチンペーパーで手をぬぐい、薄赤く染まった水が排水口に吸いこまれてしまうと、いままでのことが嘘だったように感じられた。そして今度は、こんなセリフが浮かんできた。

これは夢だ。ただの悪い夢に違いない。

こちらのほうがより魅力的なフレーズだった。隆三は目を閉じて恐る恐る背後を振り返り、薄くまぶたを開けた。そうすれば自宅の寝室の天井が見えるのではないかと思って。

見慣れた部屋。ただし自宅ではない。愛人の里美《サトミ》のマンションのリビングだ。フローリングの床。花柄のソファ。その向こうにサトミが倒れている。こちらをにらんでいた。光を失った目で。夢ではなかった。

サトミがもう息をしていないことは確かめている。何度も何度も何度も何度も。そもそも信じられない角度にねじれた首を見ただけで、とっくに死んでいることがわかる。見開いた目が恨みがましげに隆三をにらみ続け、耳から流れ出る血が茶色に染めた髪をつたってフローリングに滴りはじめていた。

どうしよう。

その言葉は、頭の中ではなく耳から聞こえた。思わず口から飛び出したのだ。

「どうしようどうしようどうしよう」

叫び出しそうになる口に親指を突っこんで塞いだ。ついでに音を立てて指を吸った。母親を探す迷子のまなざしで周囲を見回す。答えが見つかりはしまいかと。胎児のポーズでこの場にうずくまってしまいたい衝動をこらえ、ホワイトアウトした頭を隆三は懸命に動かした。

警察に通報する？　これは事故なんだと説明すればいいのか。

そうとも、殺す気などなかった。威《おど》しのつもりで手にした灰皿が重すぎただけだ。しかたまたま打ちどころが悪かったのだ。サトミが別れ話などを切り出したせいだ。しかも手切れ金を寄こせと言いやがって。

五百万ぐらいなによ。奥さんにバラすよ。奥さんの実家にずいぶん借金があるんでしょ。愛ぃぃ情ぉぉ？　馬っ鹿じゃない。そんなものあると思ってたの。ジョーダンはへそ毛だけにして。あんたの顔を見るのも、イ、ヤ。

気づいた時には震える手で灰皿を振り上げていた。

なによ、その灰皿。吸殻を捨てるなら、ちゃんと三角コーナーに捨ててよね。あたし男ができたの。たぶん結婚する。あんたなんかと違って、若くてハンサムでもっとお金のある男よ。ホストクラブのナンバーツーなんだから。髪の毛ふさふさだし、足も臭くないし、まむしドリンクなんか飲まないし、変な道具も使わないし、ズボンの下にモモヒキ――

つい手が動いてしまった。サトミが急に静かになった。手に何を握っているのかを忘れてしまったのだ。

警察で事情を説明する自分を想像してみた。

「事故なんです。気が動転すると手近なものをやみくもに摑んじまうのが私の悪い癖でして。この間、夜中に地震があった時なぞ、枕を抱えて部屋を飛び出してしまいましてね。まったくお恥ずかしいかぎりで。今回もしかり。たまたま手もとにあった灰皿が硬質ガラス製で、えらく重量があったんですな。そんな折に、なんと彼女が頭をこちらに突き出してくるではありませんか。ま、俗に言う出会い頭というやつですか。ほんとに困りものです」

「ははぁ、なるほど。あなたもとんだ災難ですなぁ」人の良さそうな刑事がそう言って手錠をはずしてくれるシーンまで思い描いたのだが……どう考えても、そんなことはありえない。

では、どうする。このままサトミをここに置いて逃げる？　いや、死体が発見されればまっさきに疑われるのは自分だろう。サトミが隆三の愛人であることは、彼が経営する不動産会社の社員のほとんど、十人以上が知っている。妻の佐和子も薄々感づいているはずだ。今日、隆三がゴルフ場ではなくここへ来ていることも。妻へのアリバイ工作だけでせいいっぱいなのだ。殺人容疑のアリバイ工作などできるはずがない。

隆三は顔を見ないようにしてサトミの死体に目を走らせる。薄桃色のネグリジェ一枚の豊満すぎるほど豊満な肉体と、スケスケランジェリーから透かし見える濃い恥毛が、いまは厭《いと》わしかった。

結論はひとつ。死体を処理してしまうのだ。

サトミのクルマを使おう。クルマもどこかに乗り捨てて、失踪か外出先で事件に巻きこまれたと思わせればいいのだ。佐和子には夕飯までには帰ると言ってしまったが、どうせむこうも今日は社交ダンスとカラオケ。帰りは遅いはずだ。時刻はまだ午前十一時。時間はたっぷりある——追いつめられた隆三の脳味噌は、モルモットの回し車のごとく回転しはじめた。

問題はどうやって運ぶかだった。隆三は去年、サトミに部屋の模様替えをせがまれ、ぎっくり腰になってしまった時のことを思い出した。

ねぇ、あのドレッサー、動かして。風水の本に書いてあったのよ、あそこに金色を置いちゃだめだって。

よっしゃよっしゃ。香水の香りのおねだりを耳もとに吹きかけられて、化粧台を持ち上げた刹那《せつな》——。

あれは痛いのだ。激痛が走ったが最後、身動きがとれなくなる。再発してしまったら、すべてが終わりだ。誰かが死体の隣で添い寝をしている隆三を発見することになるだろう。

どう見積もっても化粧台よりはるかに重そうなサトミの小太りの体を眺めて、隆三はゆっくり首を振る。となると——。

バラバラ殺人。新聞記事の中の出来事でしかなかったことを、まさか自分が犯すはめになろうとは。ひたいから、うなじから、ぬぐってもぬぐっても汗が噴き出してくる。汗まみれなのに体は震えていた。

腰に負担がかからないように足首を摑み、浴室まで引きずっていく。

ごつ。敷居にぶつかった反動でサトミのねじれた首がぐるりと回り、白目を剝いて隆三をにらみ上げてきた。

うわ。思わず顔をそむける。南無阿弥陀仏《なむあみだぶつ》、南無阿弥陀仏。

隆三がサトミを住まわせているマンションは、彼の会社の売れ残った物件のひとつだ。LDKを出ると、玄関へ続く廊下があり、廊下をはさんで右手がトイレとバスルーム、左手が寝室と納戸。寝室と奥のLDKとは引き戸でつながっている。

居住性と使い勝手は抜群、お買い得ですよぉ。客を案内する時にはそんなことを言っていたものだが、売れ残るのも道理。使い勝手などちっとも良くない。金がかかるバリアフリーなんぞ無視しているから、廊下が狭くてバンザイの形に広がったサトミの両手が壁にひっかかる。敷居の高さにも苦労させられた。

浴室に死体を横たえた時には、全身が汗みどろになっていた。サトミは相変わらず目を剝き続け、身も凍る流し目を寄こしてくる。いくらまぶたを押し下げてもすぐに開いてしまうから、ゴルフシャツを脱いで顔にかぶせた。長袖の肌着を腕まくりしたところで、はたと気づいた。道具はどうしよう。

キッチンへ戻って包丁を探した。信じられないことに果物ナイフしかなかった。この女の手料理と信じて食っていたものはいったいなんだったのだろう。

白い丸太を思わせるサトミの太ももと比べると、果物ナイフはムダ毛処理の剃刀ほどの役にも立ちそうになかった。使う前にあきらめ、浴室のタイルに放り捨てた。

そうだ、確か鋸《のこぎり》があったはずだ。隆三は以前、サトミにせがまれ、ベランダにウッドデッキをつくった時のことを思い出した。

ガーデニングしたいの。窓からお花が見えたらロマンチックでしょ。あの方角に土があると運気が上がるらしいし。

よっしゃよっしゃ。スケスケランジェリーでにじり寄られて、材料と道具を買ったのだ。家では電球も取り替えたことがないのに。あの時の鋸はどこだろう——。

アクセサリーがだらしなく散乱したシャンプードレッサーの戸棚を開けてみたが、まがい物の美容グッズやダイエット用品が入っているだけだった。

納戸を開けたら、ブランドもののバッグとコートがなだれのように崩れ落ちてきた。サトミをくどき落とすために、隆三が浪費した品々だ。

玄関の収納棚の隅でやっとめざすものを見つけた。埃まみれの工具箱。よし、これだ。折りたたみ式の鋸を取り出し、小走りでバスルームへ戻る。

浴室でバンザイ三唱をしているサトミを気をつけの姿勢に直し、鋸を構える。しかし手は動かない。深呼吸ばかり何度も繰り返した。どこから切ればいいのだろう。とりあえず腕から？　死体から顔をそむけ、のろのろと鋸をあてがったその時、

ピンポ〜ン

玄関のチャイムが鳴った。

隆三は浴室マットの上で飛び上がる。

再びチャイムの音。いつもなら何でもないその音が地響きとなって静まり返った室内を揺らし、心臓を震わせた。

三度目のチャイムとともに玄関から声がした。

「塚本さ〜ん」

男の声だ。サトミの苗字を叫んでいる。隆三はひたすら身を縮め、立ち去るのを待った。

「あれ、留守か」

ようやく遠ざかっていく足音がした。隆三の体から力が抜けた。握力も。汗まみれの手の中から鋸が滑り落ち、浴室のタイルと共謀してシンバルに似た騒音を響かせた。

足音がゆっくり戻ってくる。

「塚本さ〜ん、塚本さぁ〜ん」

今度はドアを叩きはじめた。いったい誰なんだ。何の用だ。いないよ、サトミはいない。本当にいないのだ、もうこの世に。頼むから帰ってくれ！　隆三は乙女のごとく己《おの》が胸をかき抱《いだ》く。

男は執拗だった。

ドンドンドン。

ドアを開けるまで居すわるつもりか？

ドンドンドンドン。

管理人にマスターキーを持ってこさせる？　悪い想像ばかりがどんどんどんどんふくらんでいく。

ドンドンドンドンドンドンドン。

とりあえず出たほうがいい、と判断した。死体を残したまま浴室を出て、玄関へ向かう。汗をぬぐい、呼吸を整え、ドアノブに手をかけようとして、鋸を握りしめたままだったことに気づいた。急いで傘立ての中に隠す。

魚眼レンズを覗くと、向こうもこっちを覗いていた。

十センチほどドアを開ける。すき間に大きな丸い目が現れ、まばたきをした。

「なぁんだ、やっぱ、いたんだ」

「何か用か？」

隆三はドアのすき間に問いかける。平静を装ったつもりだったが、語尾が震えてしまった。

「まいど、どうもっ」

男が愛想笑いをすると、鼠のように丈夫そうな前歯が剝き出しになった。

「誰だ、お前」

ひょろひょろと痩せた三十半ばぐらいの男だ。青色の作業服を着ている。

「ダスクリーンで〜す。こちらのお宅の清掃に伺いました」

男はドアのすき間へ胸に入った社名ロゴを突き出してみせる。

「そんなもの頼んだ覚えはないぞ」

サトミが頼んだのか？　いや、あいつは掃除などに金をかける女じゃない。そんな金があれば新しい服を買うだろう。第一、部屋の掃除は隆三がこまめにやっている。

「いえいえ、ご依頼を受けて伺ったわけではなくて――」

「セールスなら間に合ってる。帰ってくれ」

「いやいや、セールスでもありません。ただいまダスクリーン創業三十周年記念特別キャンペーン期間中でして、当社の製品をご利用いただいているお客様に無料モニターサービスを実施してるんです」

「あ?」

「リビングをほんの少しのあいだだけ空けていただければ、その間《かん》に作業しますんで。迅速かつ細やかに。床にはワックスぴかぴかサービス。絨毯にはダニ駆除ふわふわサービス。この冬、お客様三百名様だけの特典!」

慣れた調子で口上を並べ、また前歯を剝き出した。

「お客様って言ったって、そんなもの、使ってないぞ」

「うちの製品を使ってない? またまた、ご冗談を。創業三十周年なのに。お電話は999の999――お、地震かな?」

玄関ドアがかたかたと鳴っている。ドアノブを握った隆三の手が小きざみに震えているからだ。それを悟られまいとして手を離したのがまずかった。男がぐいとドアのすき間を押し広げた。

「おい」

隆三が声を荒らげたのを気にする様子もなく、しばらく玄関を眺めまわしてから、靴箱の上のハンディモップを指さす。

「ほら、それ。うちのです」

ほら、と言われてもメーカーなどどこでもいいような何の変哲もないモップだ。

「使ってたって関係ない。間に合ってる」

「無料キャンペーンなんですけど。通常なら三万円コースが、いまならタダ！」

「いらん、と言ってるだろ」

「え」男の目がガラス玉になった。「なんてもったいない」

隆三がドアを押し戻そうとすると、悲しげな表情で首を振る。

「三万円コースなのに……」振っていた首が突然ぴたりと止まり、男が呟いた。「おかしいな」

「何がおかしい」

隆三は男を威圧すべく胸をそり返らせる。その胸の中では心臓が小鳩のように震えていた。

「ここツカモトサトミさんのお宅ですよね」男が半身をひねって表札を確かめている。不用心だからやめろと言っても聞かず、サトミはローマ字でフルネームを入れたコムスメじみた表札を使っているのだ。「あ、やっぱ、そうだわ」

男の視線は、女名前の表札と、どう見てもＳＡＴＯＭＩという名にはふさわしくない中年男の隆三を往復し、それから上がりかまちへ釘付けになる。そこには工具箱が置きっぱなしになっていて、隆三が放り出したドライバーやバールが散乱していた。

「帰ってくれ」

声が半分悲鳴になった。薄い膜が張ったように、男の目から光が消えた。拍子抜けするほどアッサリと踵《きびす》を返す。

「そうすか、んじゃ」

ドアが閉じようとする一瞬、男が隆三に横目を走らせて意味ありげな薄笑いを浮かべた――ように思えた。隆三は慌てて呼びとめる。

「ちょ、ちょっと待て、どこへ行く」

「はぁ、どこって……帰れっておっしゃるから、帰るんですけど」

「お前、いま、俺のことを空き巣か何かだと思わなかったか」

「いえいえ」

男がぶるんと首を振る。否定しているのではなく、なぜわかったのかと訝《いぶか》しんでいる振り方に見えた。

「その足で警察に駆けこもうなんて思っているんじゃなかろうな」

「とぉんでもない」

「そんなんじゃないぞ、俺は」

「はいはい、わかってますとも」

男は真顔で頷いてみせたが、その言葉には一片の真心も感じられない。

「サトミは俺だ。里見浩太朗の里見」

「はいはい」

この男をこのまま帰しては危険だ、と直感した。とはいえ、口を塞ぐためにもう一度殺人を犯す度胸など毛頭ない。客を物件に案内する時のように思いつくまま嘘を並べ立てた。

「うちのがいま留守なんだ。きれい好きで神経質なやつでな」とんでもない大嘘だ。

「勝手に他人を上げて家の中をいじりまわしたら、後で何を言われるか。潔癖症っていうのかね。掃除は自分でやらないと気がすまないタチなんだな」

男が隆三の言葉を信じたものかどうか考えあぐねる表情になった。ぼんやりと下唇を引っぱったり、はじいたりしている間抜け面を見て、隆三はとっさに作戦を変更した。

「しかし、まぁ、そこまで言うなら、やってもらおうか」

男は見るからに頭が鈍そうだ。どうせ浴室のサトミには気づきもしまい。このまま帰すより、無料キャンペーンとやらをやらせたほうが安全だと考えたのだ。しかも、うまくすればアリバイ工作に利用できるかもしれない。

「朝からいないんだよ、クルマで出かけたきり。いったいどこへ行っちまったのか」

困ったもんだ、というふうに腕組みをしてみせたのだが、男はまるで見ていない。玄関へ上がると、間取りを確かめるように部屋の奥へ目を凝らした。大きなバッグから道具を取り出す動作は緩慢この上なく、隆三に玄関の床で足踏みをさせた。

「そんなに時間はかからないだろ」

「はぁ、たぶん」男がのんびり軍手をはめながら言った。「では、お風呂場から」

危うくその場で飛び上がりそうになった。

「風、呂、場？」

「ええ」

「き、聞いてないぞ。リビングだけだと言ったじゃないか」

「いえいえ、まさか、そんな。なんせ三万円コースですから。もれなく浴室カビとりつるつるサービスも付いてきます。ダンナさん、運のいい方だ」

「だめだ、だめだ、だめだ」

「え、なぜ？」

風呂場のドアに手をかけた男が、大きな丸い目で隆三を見つめ返してくる。

「これから風呂に入るところなんだ。ほら、こんなに汗をかいちまって。今日は暑いから」

「午後から雪だって言ってましたよ」

「汗かきなんだ。多汗症。風呂場はだめだ」

「困ったな、マニュアル通りにやらないと、サービス本部の安田さんに怒られちまう」

「とにかく俺は風呂に入りたいんだ。いますぐ。嫌なら帰ってくれ」

「そうすか、んじゃ」

男の目にまた、すぃっと薄い膜が張る。

「待て待て待て」隆三は、取り出す時より数段早いスピードで道具をしまいはじめた男の腕を摑んだ。「そうだ、こうしよう。先にリビングをやっちまってくれ。そのあいだに風呂へ入るから」

「ああ、そりゃ名案だ」

　男が清掃道具を抱えてリビングに消えるのを鷹揚《おうよう》に見送り、ドアが閉まるやいなや、バスルームへ飛びこむ。とにかく死体を違う場所へ運ぶしかない。違う場所といっても1LDKだから寝室しかないのだが。

　ぎっくり腰を恐れている場合ではなかった。サトミの腋の下に両手を差しこんで、気合もろとも持ち上げる。背骨が不吉な軋みをあげた。立ち上がるのが怖くて、中腰のまま死体を引きずって浴室を出る。洗面所のドアを肩で開け、そろりと首を出して外を窺った。

　リビングのドアの向こうで、ごそごそと部屋を動きまわる物音がする。ほどなく調子っぱずれの鼻歌が聞こえてきた。

　よし、いまだ。サトミの体を抱え直し、よろける足を踏ん張って歩き出そうとしたとたん、男の鼻歌が止まった。

「お」男が短く叫ぶ。「……血だ」

　隆三はうつろな目を宙に泳がせる。その視線が鼻先にあるドアノブにすがりついた。とっさにドアノブへ鼻を叩きつける。

鼻孔に血のにおいが広がっていくのを確かめてから、負傷兵を抱えて塹壕《ざんごう》へ飛びこむ兵士の素早さで寝室のドアへ走った。

ダブルベッドの掛布団を足の指でつまんではね上げ、サトミの体を引きずり上げた。もとの通り布団をかぶせてから、大急ぎで服を脱ぎ捨て、風呂上がりを装うためにガウンを着る。

鼻血があふれ出てきた。ティッシュを丸めて鼻の穴につめる。リビングに通じる引き戸から首だけ突き出し、サイドボードを拭き掃除している男に、むりやりつくった笑顔とにこやかな声を投げかけた。

「はかどってるかね? あ、そうだ、床が血で汚れていただろう。すまんすまん、拭き忘れていたよ。さっき鼻血を出しちまって。止まってたんだが、ほらまた」

赤く染まったティッシュをつまみ出して、男に見せる。

「あ、鼻血だったんすか」

「そうとも、何と勘違いしたのかね」

「いやぁ、羨ましいな、鼻血。精力もりもりだ。ダンナさん、若いね、このこの」

思ったとおりのマヌケだ。男は隆三の言葉をあっさり信じこみ、ひじで小突くまねをして笑いかけてくる。隆三も唇を笑ったかたちにして、顔の前で手を振った。

「いやいや、そんなんじゃない。よろけた拍子にドアへ鼻をぶつけちまったんだ。把手《とって》のところ。痛いの何の」

「……ドア」男の顔から笑いが消え、妙な言葉を聞いたというふうに首をかしげる。かたむけた首をもとへ戻しながら、ひとり言のように言った。「ドアか……」

「そうなんだ、まいったよ」

「あたしはまた灰皿かと思った」

隆三の両方の鼻の穴から、いっきに鼻血が流れ出た。

「いえね、灰皿にも血がついてたもんすから。あ、ドアかぁ。ドアね。なるほど、それで合点《がてん》がいきましたよ。灰皿に鼻をぶつけるトンマがいるわけないもんな……あれ？　待てよ。んじゃ、なんで灰皿に血が？」

「あ、いや……」うなじの汗が背中を伝っていく。「実は、その……」

男が忠犬のように隆三を見つめ、言葉の続きを待っている。隆三は観念したという表情で肩をすくめた。

「いやはや、バレちゃあしようがないな。じつは君の想像どおりだ」不敵に笑って見せる。「そのトンマなんだよ、私は。バツが悪くて言えなかった。煙草を消そうとして、勢いあまって、がつんとね」

「勢いあまって？　がつんと？」

男が目をしばたたかせて灰皿を眺め、その視線を隆三に戻し、それから両手で口を覆って肩を震わせはじめる。男の丸い目が三日月型になっているのを見て、ようやく笑っているのだと気づいた。

「くくくっ……ダンナ、案外とトンマ……あ、失礼。あわて者なんですね」

「ははは、そうなんだよ、見かけによらず」

「くくく」

「ははは」

「くくく……あ？　でも血がついてたのは、灰皿の底のほうですけど」

「……ふせてあったことを忘れていたんだ」

「勢いあまって、ふせてある灰皿に？」男が噴き出した。「ぷふふっ。トンマだなぁ」

むっとしたが怒っている場合ではなかった。

「風呂場、もういいぞ」

「あい、すぐやりま〜す」

浴室から男の鼻歌が聞こえはじめると、隆三は尻からベッドに崩れ落ち、放心した目で死体がふくらませている布団を眺めた。おそろしくカールしたサトミの前髪が飛び出している。それを中に押しこもうとして、気づいた。

確かうつぶせに寝かせたはずだが。

洟をかんだティッシュを広げる時にも似た本能的な動作で布団をはいだ。完全に百八十度回転してしまったサトミの首がこっちをにらんでいた。

すみやかに布団をかぶせた。もう勘弁してくれ。顔を見るのも嫌だったんじゃないのか。隆三は反射的にサイドテーブルに載った愛用のアイマスクを摑み、意を決してもう一度布団に手をかける。と、浴室から漏れていた鼻歌がふいに止んだ。

「お」男が小さく叫ぶ。「……包丁だ」

しまった。

「ダンナ～」

男が浴室で声を張り上げる。隆三は心とは裏腹のほがらかな声で叫び返した。

「おう、なんだ～」

「お風呂場に包丁お忘れですよ。錆びちまいますよぉ」

「すま～ん、忘れてた。台所から直行したもんだから」

返事がない。納得していないのだ。急いで言い添えた。

「料理してて、すっかり汗かいちまってさぁ」

「……料理?」男の声が低くなった。「果物ナイフで?」

「フルーツサラダだよぉ〜」

「ああ、そうか。よくあるんすよね、あたしもよく忘れますよ、包丁。あっちこっちに」

「そこらへんに、ほっぽっといていいぞ」

「うぃーっす」

助かった。正真正銘のマヌケだ。隆三は深々と安堵の息を吐き、自分の手にアイマスクが握られているのをぼんやり眺めた。何をしようとしていたんだっけ――。そうだった。残り少ない気力を振り絞って布団をめくり上げた瞬間、寝室のドアが開いた。

「うわお」隆三はサトミに覆いかぶさった。

「作業、終わりまし――」

男の言葉がぷつりと途切れる。数秒の間ののち、背後でドアが閉まる音がした。

どうしよう。隆三は死体にしがみついたまま、この場を言い逃れるせりふをけんめいに探したが、頭の中は今度こそ本当に白一色の銀世界になってしまった。言葉を発したのは、ドアの向こうの男のほうが先だった。

「なぁんだ、そうか。灰皿にぶつけて鼻血が出たなんて、やっぱり嘘だったんだ」

「ち、違う。違うんだ、これは——」

「そうかぁ、それであんなに汗を。それであたしに帰れってか。なぁるほどぉ」

男のひと言、ひと言に、隆三は激しくかぶりを振っていやいやをする。耳を塞ぎたかったが、それはできなかった。両手を口に突っこんで、指を噛んでいたからだ。

「違う、違う、違うんだ、誤解だ！」

「くっくっくっ……いいんですよ、ダンナ。誰にでもあることですから」

男が下卑た笑い声を立てる。

「え？」

「元気ですねぇ、ダンナさんも、まっ昼間っから。精力もりもりだ。鼻血どばどばですもんね。いゃあ、オクサンも大変だわ」

男は妙な誤解をし、勝手に納得している。すかさず調子を合わせた。

「いや、まぁ、それほどでも……」

男が見ているわけでもないのに、頭を掻く。

「あ、そうだ」男が再びドアを開けた。

「うおぅ」隆三は再びサトミに覆いかぶさる。

「お取り込み中すいませんが、ハンコお願いします。作業終了印。規則なもんで」

ハンコ？　どこだろう。隆三は部屋に目を泳がせた。

立ち往生している隆三に、男が探るような視線を向けていることに気づいた。奴がまた疑いはじめている。急がないと。ここが俺の家であることを証明しなくては。確かこの部屋のタンスのどこかだ。ややっこしいことを考えない女だから、一番上の引き出しだろうと思って開けたら、思った通りだった。

「お騒がせしました。これで終了っす」

男がハンコに息を吹きかける。愛想笑いを浮かべた顔を隆三に振り向けたとたん、ハンコを押そうとした手が止まった。隆三の背後の一点を見つめ、驚きに目を見開く。

「……あ」

嫌な予感がした。

「……なんだ」

「ひゃ〜、まいったな」

「ど、どうしたんだ」

「エアコンっす。あたたたた、あれって――」

男はひたいを叩いて家電メーカーの名を口にした。確かにエアコンの横腹には、その会社のロゴマークが入っている。

「あのエアコン、うちとの共同開発なんですよ。共同つったって、除菌フィルターのとこだけですけど」男は下唇をつまんでクリップボードの書類を眺め、渋面をつくった。「やっぱ、そうだわ。あれを使ってるお宅にはエアコン洗浄サービスもしなくちゃ」

「いいよ、もう」

隆三がそう言った時には、もう大型のスプレーを手に取っていた。

「いいってば」

「ご遠慮なさらず。オクサ〜ン、まいど、ダスクリーンで〜す。すいません、十分ほどですみますんで、いいっすかぁ……あり?」

ぴくりとも動かない布団のふくらみに、男が首をかしげた。ひたいから流れ出た汗が、隆三の乏しい前髪を伝って鼻の頭に落ちる。何か問いたげに開きかけた男の口から言葉が飛び出す前に言った。

「だから誤解だと言っただろう。風邪だ。風邪で寝ているんだ。静かに寝かせてやりたくて、それで断ろうとしたんじゃないか」

「ああ、そうだったのか。それにしても、オクサンだいじょうぶっすか。さっきから全然動きませんけど」

　隆三はガウンの裾をはためかせてベッドへ跳ね飛んだ。

「おい、だいじょうぶか」布団の中を覗くふりをして男に背を向け、裏声を絞り出す。

「うっうぅ～ん」

「ありゃりゃ、喉、だいぶやられてるな。病院行ったほうがいくないですか。あたしでよければ、留守番してますけど」

「ううぅ～ん、ふぅ～ん」さらに甲高く声を裏返してから、すぐさま地声を出した。

「ん？　そうか、リビングで休むか。よっしゃよっしゃ」

　ドアの前に突っ立ったままの男を振り返り、聞こえよがしに咳払いをする。

「君、遠慮してくれないか。うちのやつは寝巻姿なんだ。恥ずかしがっているじゃないか」

　そう言って布団に差し入れた片手をひこひこ動かした。

「あ、失礼をば」

　男がドアを閉めると同時にサトミの死体を布団もろとも抱え上げた。腰が悲鳴をあげるのもかまわず引き戸を開け、リビングへ走りこむ。死体をソファに座らせ、アイマスクをかけて、布団でぐるぐる巻きにする。真後ろにそり返ってしまう首にクッシヨンをあてがって固定した。

すべてを十秒ほどで完了させせ、何事もなかったかのように男へ叫ぶ。

「もういいぞ～」

同じサビばかり繰り返している耳ざわりな鼻歌がまた始まった。隆三は死体に寄り添い、ぐらぐら揺れる首を腕で支え、病弱の妻をいたわる心優しい夫を演じ続けながら、じっと息を殺す。

「お」またも男が叫んだ。なんだなんだ今度はいったいなんだ。「……モモヒキだ」

サトミの首がかくりと折れた。

「嬉しいなぁ。ダンナさんもモモヒキ派っすか。あたしもですよ」寝室から男がのんき気な声を掛けてくる。「いま穿いてるのは新製品でね。本キャメルのすぐれモノ。見ます？」

「いや、いい」

「残念だな、キャメルなのに」

「いい加減にしろ！　さっさと仕事を終わらせんかっ」

思わず一喝してしまった。

寝室が沈黙する。

しまった。男を刺激したのはまずかったか。隆三はサトミの冷たい体を固く抱きしめたが、案じるまでもなかった。

「あいすいません、ダンナ。もうちょいですんで。いま最後の仕上げを……」

隆三の貫禄に気おされたようだ。男から殊勝な言葉が返ってくる。隆三はようやく一企業の社長らしい威厳を取り戻し、社員に説教をする時の尊大な声でたたみかけた。

「わかればいい。早くしてくれたまえ」

「ところで、オクサン本当にだいじょうぶです？　ずいぶん静かですけど」

「うっう〜ん」

男は本当に金を受け取らなかった。

「まいどっ。またよろしくぅ」快活な挨拶とともに玄関を出かけ、そこで足を止める。そして隆三を振り返った。「あ、そうだ」

まだ何かあるのか。もういいよ、早く帰ってくれ！　喉まで出かかった言葉を押し戻していると、男はいきなり作業ズボンの裾をめくり、共犯者に投げかけるような笑みを浮かべて囁きかけてきた。

「キャメル」

ドアを閉めると、隆三は倍速再生の素早さでロックした。男が立ち去っていく足音を確かめ、さらに十まで数をかぞえてから、ようやく全身の力を抜く。ドアに預けた背中がずるずると滑り落ち、たたきに尻もちをついた。

たたきの冷たさが尾てい骨から背骨に這い上がってもそうしていた。背骨から脳味噌に達した頃、がばりと跳ね起きる。こうしちゃいられない。

サトミはソファからずり落ち、両手を広げたポーズで隆三を待っていた。お姫様だっこをせがむように。もう嫌だ。勘弁してくれ。腰をさすって呻き、死体をなだめるように首を振る。

足首を摑んで廊下を引きずり、元の通り浴室に寝かせた。これから繰り広げられる光景を思い、身震いをする。

先に服を脱がせたほうがいいかもしれん。不慣れで忌まわしい作業を少しでも先送りするために、隆三はサトミの下着を脱がす手慣れた作業にしばし没頭した。

ネグリジェと下着をきちんとたたみ終えたところで、肝心の鋸がないことに気づいた。そうだった。傘立ての中だ。

浴室から出た時だ。ふと、先刻と洗面所の様子が違う気がした。間違い探しパズルを眺めているのに似た違和感――。

パズルはすぐに解けた。シャンプードレッサーの上に置きっぱなしになっていた指輪やネックレスがなくなっているのだ。

隆三はリビングへ走った。サイドボードに置いていた財布がカラになっている。寝室のタンスの引き出しを開けると、中はめちゃめちゃだった。さっきちらりと見たはずの預金通帳がなかった。そういえば、あの男にハンコを返された覚えがない。やられた。空き巣はあいつのほうだったんだ。化粧鏡に残り少ない前髪を汗で張りつかせた自分の間抜け面が映っている。怒るより先に笑ってしまった。

ということは――。鏡の中の隆三が、もう一度笑った。今度は殺人者にふさわしい冷たく不敵な笑みだ。これであいつが警察に駆けこむ心配はしなくてすみそうだ。もし事が発覚したとしても、あの男に罪をなすりつければいい。空き巣と不動産会社社長、人がどっちの言葉を信じるだろう？

人はさておき、隆三自身は、それが火を見るより明らかだと考えた。

隆三は己の中に犯罪者としての自覚がふつふつと芽生えていくのを感じた。浴室へ戻り、鋸を握りしめ、粗大ゴミを見る冷ややかさでサトミの死体を眺めおろす。

いまならやれる。ふむと気合を発し、死体の肩口に鋸をあてがい、力をこめた。

どっと血が噴き出す。

痛たたたたっ。

自分の血だった。勢いあまって、自分の指を切ってしまったのだ。傷口をサトミのネグリジェで押さえた、その時だった。

玄関でチャイムの音がした。

今度は誰だ。宅配便か？　新聞の勧誘か？　また空き巣か？

二度目の今回、隆三は別人のように落ち着いていた。丹念に血をぬぐって、傷ついた左手をポケットに隠す。ガウンに血が飛び散っていないことを確かめてから、ゆっくりと玄関へ行き、ドアを開けた。

男が立っていた。

地味なスーツを着たその中年男が、ふところから何かを取り出し、隆三の鼻先に掲げてみせた。

焦げ茶色の手帳だ。中央に金色の記章が輝いている。隆三の目はそれが何であるかをすぐに察知したが、頭が理解することを拒否した。

「この男をご存じですね」

中年男の後ろには、二人の男が立っていた。一人は、やはり地味なスーツ姿の若い男。隣の男の腕を摑んでいる。腕を摑まれているのは、さっきのあの男だ。

「まいど、ダスクリーンで〜す」

ダスクリーンが手錠を光らせた手を隆三に振り、若いほうに頭を小突かれた。

「この男は、常習の盗犯でして。清掃サービスの従業員を装う手口でこの近辺を荒らしておったため、数日来、密行《マーク》していたのです。先刻、このマンションから出てきたところを押さえましたら、お宅の名義と思われる預金通帳を所持しておりましたものでーー」

全身から汗が噴き出してきた。

「さっそく現場検証をさせていただきたいのですが」

嫌だと言えばこいつらは帰るだろうか。いや、無理に決まってる。これから風呂に入るから後にしてくれと言えば？　いや、まさか。何か喋らなくてはと思っても、頭の中にはしんしんと白い雪が積もるばかりだった。隆三は無言でひたいの汗をぬぐう。

二人の刑事が目を見開いた。ダスクリーンもだ。

三人の視線を追って隆三はゆっくり首をひねり、汗を拭いている自分の右手を見る。

血に染まったネグリジェを握っていた。

「……間に合ってます」

隆三はそれだけ言うと、首を振っていやいやをし、親指をしゃぶりはじめた。

木下闇

目を閉じると、背中に蟬《せみ》の声がのしかかってきた。なんだか自分ひとりが蟬しかいない世界に取り残された気がして、八歳の私は、ことさら大きな声を張りあげる。

「もういいかい」

幼い声が重なりあって返ってきた。

「まあだだよ」

首筋にそそぐ真夏の光は痛いほど熱いのに、ひたいをすりつけた土塀はひんやりと冷たい。蟬時雨《しぐれ》に張りあうように、私はもう一度声を出した。

「もういいかい」

返事はなかった。怖くなって、ルール違反を承知で目を開け、背後を振り返る。夏の光が目を刺して、視界が黄色くぼやけ、立ちのぼる炎熱が風景をゆがめて見せていた。

広い庭。湿った土が黒々とした農家の庭だ。庭の端に植えられたサルビアが燃え立つように赤い。あの頃、私と妹が夏休みのたびに訪れていた母親の生家だった。同い年のいとこ、孝二だ。納屋に停まった軽トラックの荷台で、野球帽が見え隠れしていた。同い年のいとこ、孝二だ。

「コウちゃん、見っけ」

孝二の妹の良子も一緒に出てきた。あとは私の妹の弥生《やよい》だけだ。

庭を横切り、母屋の左手に回りこむ。そこには、いとこたちが「お化け蔵」と呼んでいる古い土蔵がある。ぴたりと閉じた重い木戸を、少しだけ開けて覗いてみた。中は薄暗く、かび臭く、湿っぽい冷気に満ちている。首を縮めて扉を閉めた。まだ六歳の妹がここに隠れているはずがない。私でさえ怖くて、足を踏み入れることができないのだから。

土蔵の先は裏山に続いている。塀はなく、斜面になった地面のすぐ向こうで雑木林が始まる。私はそこで足をすくませた。行く手を阻むように一本の木が立っているのだ。

大きな大きなくすの木。目の前にそびえる恐ろしく太いこぶだらけの幹は、幼い目にはおとぎ話の中の豆の木を思わせるほど、どこまでも高かった。空を覆い、周囲を薄闇にするほどみっしりと繁った青葉が、風が吹くたびに海鳴りのようにざわめいている。

「やよい～、出ておいで」

私は叫んだが、その声は蟬時雨と葉擦れの中へ吸いこまれるようにかき消えてしまう。

いなくなってしまった妹は、それきり二度と姿を現さなかった。

懐かしい土地の名を、バスの車内放送が告げた。私は登山靴の重い音を響かせて昇降口へ急ぐ。ザックの中でコッヘルがかしゃかしゃと鳴った。

バスが砂ぼこりを立てて去っていき、道の上に残った私は辺りを見まわす。十五年ぶりの風景だった。一面の田圃《たんぼ》は昔のままだったが、記憶の中の青田の間に点在していた藁《わら》葺《ぶ》きの家々は、色とりどりの現代風の屋根に変わっていた。

三上の家も瓦《かわら》屋根に変わっていたが、場所はすぐにわかった。まだここからはかなり距離があるのだが、裏庭のくすの木が遠近法をまちがえたように、間近に見えたからだ。周囲を睨み下ろす樹高は三十メートルに達するだろう。鬱蒼《うっそう》と葉を繁らせた様子はひとつの森のようだ。三上の家はけっして小さな家ではないのだが、その平屋は、木の下に寄生している茸《きのこ》かなにかに見えた。

あまり心楽しい訪問ではなかった。よしっ、行くぞ。私は自分に励ましの声をかけて、青田の道を歩き出した。

夏の穂高に登った帰りに、ここを訪れようと思い立ったのは、単なる気まぐれじゃない。台風が近づいているために、日程を一日早く終えて下山したのが一番の理由だが、いつか機会さえあれば、とずっと前から考えていたことだ。

十五年前、妹が行方不明になったあの日のことを、私はあまり覚えていない。三上の家に警察の制服や消防団のはっぴを着た大勢の人々がやってきたこと、泣き腫らした母の顔や、気が違ったように妹の名を呼ぶ父の声を記憶しているだけだ。数日間にわたって近隣の田畑から周辺の山林まで捜索されたが、弥生の姿はもちろん衣服の切れはしも発見することは出来ず、私は母にともなわれて東京の家へ帰された。それから私は一度も三上家を訪れていない。

警察が捜査を打ち切った後も、私の両親は、何度もここへ足を運び、弥生を捜し歩き、近辺の街で弥生の写真付きのビラを配ったりした。しかし、そうした一縷《いちる》の望みも、日を追うごとにあきらめに変わった。

警察の見解は、裏山に迷いこみ、山の中で行き倒れになったのではないか、というものだった。なにしろ三上家の裏山の先には、富士山系の深い森林が続いている。誘拐の可能性は早々に捨てられた。その時刻、付近で不審者の姿が確認されなかったためだ。人家はまばらでも、そのぶん誰もが顔見知りで、畑の中や家々の庭先、いたるところで人の目が光っている土地柄なのだ。

年月を重ねるうちに、三人家族になってしまった私たち一家にとって三上の家は、忌まわしい場所として、名前を口にすることもはばかられるようになった。

でも、私はずっと考え続けていた。いつかもう一度、あの家に行ってみなければ、と。警察や村人たちがいくら捜したといっても、最初に弥生を捜して歩いた私自身には、その後ただの一度も捜す機会が与えられていないのだから。私たちの隠れんぼはまだ終わっていないのだ。

ビニールハウスが門柱がわりの入り口を抜けると、納屋の手前に白い半袖シャツの背中が見えた。ホースの水で熱心に農具を洗っている。

「こんにちは」

背中に声をかける。雄一であることはすぐにわかった。雄一は三上家の長男で、私より十歳年上のいとこだ。いまこの三上家に住んでいるのは彼だけのはずだった。

母の兄だった忠夫おじは五年前に他界し、おばも去年亡くなっている。雄一の弟の孝二が東京で就職し、妹の良子が十代のうちに結婚して家を出ていることは母から聞いていた。

日に焼けた顔がこちらを振り返る。齢《とし》相応に目もとに皺《しわ》をつくっていたが、黒目がちの目と面長の顔は、昔の「ユウ兄ちゃん」のままだった。

雄一は私が誰であるかに気づいていないようで、訝しげな目を向けてくる。無理もない。最後に会ったのは、私がまだ小学生の時だ。

「あの、お久しぶりです」口ごもりながら言う。「山崎です……山崎聡子《さとこ》の娘の……」

宙をさまよっていた雄一の視線が、私の顔に戻ってきた。

「五月《さつき》……ちゃん？」

私は、女にしては高すぎる背を縮めて会釈する。雄一が独り言のように声を漏らした。

「なんと、まぁ、久しぶりだなぁ」

三上家のいがらっぽい麦茶の香りは、昔のままだった。その匂いの記憶は、私にこの家での遠い昔の出来事のいくつかを思い出させた。縁側にぎこちなく距離を置いて座った私たちは、お互いが口下手同士であることに気づく。私が今年から設計事務所で働きはじめたこと、学生時代の登山部の仲間と、夏休みを利用して山に登った帰りであることを、言いわけするように話し、いとこや親戚たちの近況を、さして熱意もなく語り合うと、もう何も話すことがなくなってしまった。

弥生のことには触れなかった。それが十五年間、この家を訪れていない理由であることは、お互いにわかり過ぎるほどわかっている。妹がいなくなってからの十五年の歳月は、三上家にとってあまり幸福な日々ではなかったようだ。それはもちろん私の家も同じだった。

両親は私が中学生の時に離婚した。弥生がいなくなってから、父は毎晩、酒を飲むようになった。酔うと必ず母と喧嘩をした。原因はいつも些細なことなのだが、本当の理由は弥生のことだったと思う。妹の弥生は、十五年以上前から翳《かげ》りはじめていた父と母の関係を、明るく照らす陽光だったのだ。賢く、社交的で、お人形のようだと誰もがいう可愛らしい顔立ちをしていた。父も母もそんな弥生を深く愛していた。おそらく私より。なぜお前のほうが残っているんだ、ときおり父がそんな目をして私を見ることに、私は気づいていた。

会話の糸口が摑めないまま、私たちはぼんやりと庭を眺め続ける。なんとなく視線を合わせづらくて、私はコップを握る雄一の手もとばかり見ていた。長い指を持つ大きな手だ。十五年前のあの日、父も母も妹を探しに出かけてしまい、一人ぼっちで、三上家に押しかけてきた大勢の人間におじけづく私を、はげまし続けてくれた手。あの大きな手で私の手をずっと握っていてくれた。なんだかいい匂いがしたのを覚えている。

「変わってませんね」子供の頃好きだったユウ兄ちゃんに話しかけるように口を開いたら、あんがい自然に言葉が出た。「もっと変わっちゃったかと思ってた」

大きな手のひらを開いたり握ったりしながら雄一が答えた。

「いやぁ、結構変わったら」

そう言ってぐるりと母屋に首を巡らせる。私は雄一の印象について話したつもりだったのだが、雄一はこの家のことだと思ったらしい。

三上家の母屋の造りは昔のままだったが、あちらこちらに改装の跡がある。広かった土間は床張りのキッチンに変わっていたし、左手にあった土蔵は、母屋と渡り廊下でつながる離れになっていた。

平屋の母屋より高い土蔵の向こうに、くすの木が禍々《まがまが》しいほどの大きさでそびえ立っているのが見えた。

「あの木、あい変わらず大きい」

「ああ、あいつのおかげで、妙な増築しかできねえ」雄一は、人間を呼ぶように木をあいつと呼び、なんだか厭《いと》わしげに言葉を吐き出す。「いっそ伐《き》っちまいたいんだけども。県の天然記念物にするとか言われてね。うちのものなのに、勝手なことができないんだ」

夏の遅い陽が傾きはじめ、風が強くなってきた。くすの梢がいっせいに揺れて、ざわざわと潮騒《しおさい》に似た音を立てている。冬でも枯れ落ちることのない膨大な量の青黒い繁りが、海面のように波打っていた。その樹頂近くで、何かが動いた気がした。

「ねえ、雄一さん」

私はいま見たものの印象を、そのまま口に出してみる。

「この辺りには、猿がいるんですか?」

いいや、いくら田舎でも猿はいない、そう言って雄一は、初めて少しだけ笑った。

三上家の裏手は昔と同様、一面の雑木林だ。記憶の中ではもっと暗く深く、誰も足を踏み入れることのないような恐ろしい場所だったはずなのだが、十五年間で様子が変わったのか、それとも幼い私がそう思いこんでいただけなのか、拍子抜けしてしまうほど変哲もない山林だった。裏庭のひと隅から続いている小径も記憶にはなかったものだ。私はそこから斜面を上がり、森の中へ分け入った。

森は湿った土の匂いと、ひぐらしの声に満ちていた。下生えは深かったが、小径はちょうど人ひとりが歩けるほどに草が踏み固められて、奥へと続いている。

木立ちの中をしばらく歩くと、用水路に出た。十五年前にもあったコンクリートで固められた水路だ。最初、弥生はここに落ちたのではないかと考えられて、川底をくまなく浚《さら》ったと聞かされている。

幅も深さも一メートルほどの用水路は苔むしていて、水底で手招きするように揺れる青藻が透けて見えていた。当時の水の量がどのくらいだったかはわからないが、弥生が普通の状態であったなら、ここで溺れるはずがない。私と一緒にスイミングスクールに通っていた弥生は、小学校に上がる前から大人顔負けに泳げたのだから。

用水路に渡されたコンクリート板を越えてさらに奥へ進む。勾配はしだいに急になり、森は深くなっていった。陽はもう木々の間に沈み、木立ちが黒い影になろうとしている。蟬の声もだんだん遠くなっているように感じた。

高校時代から山登りをしているのに、私は一人で夕暮れの森を歩くのが苦手だ。ぐるぐるとあてどもなく同じ場所を歩いている気分になる。行ける所まで行ってみるつもりで、自分の足と気持ちを励ました。薄闇に包まれた木立ちの中を歩いていると、そんなことがあるはずもないのに、どこからかひょっこり、六歳のままの弥生が飛び出してくる気がした。

突然、目の前が開けた。鬱々《うつうつ》とした常緑樹林が途切れ、眼下一面に赤黒い土が広がった。人影のないショベルカーが置き捨てられている。開発が中断されたらしい造成地だった。私はため息をついて身を翻《ひるがえ》した。

これが魔物のように口を開けて弥生を呑みこんだと思えた森林の、いまの姿なのだ。ここへ何をしに来たのだろう。列車を途中下車した時から、私は何度も自分に問いかけている。

何を確かめに来たのだろう。弥生がまだ生きているかもしれない証《あかし》だろうか。それともとっくにこの世にはいないという現実だろうか。

用水路の近くまで戻った時だ。落ちかかる西日に追われて、来た道をたどっていた私は、突然、その気配を感じた。頬が熱くなり、見えない手で撫でられているような感覚——誰かが私を見ている。

頭を巡らせて、薄墨をひいたように闇が忍びこんだ周囲の木立ちに目をこらした。

木々の葉が風に揺れ騒いでいるだけだ。

夕暮れ時のこんな山の中に、誰もいるはずがないか。私はひとりで苦笑いして、三上の家に続く道へ向き直る。雑木林のシルエットが薄暮に溶けこもうとしているその上に、くすの木がぬっと顔を出し、夕日の色を吸いこんで光る梢を、ざわざわと揺らしていた。

裏庭に戻ったのは、ちょうど稜線の向こうに日が沈む頃で、三上の家にはひっそりと灯がともっていた。手前にたちはだかるくすの木は、ひと足早く闇が訪れたように黒々とした影法師になっている。あらためて間近にすると、異様とも思えるほどの大きさだ。

苔をびっしり生やした根もと近くの直径は、二メートルを超えるだろう。地面から浮き出た太い根は、巨大な生き物がのたうつ姿を想像させ、ところどころに肉塊を思わせるこぶをつくっていた。まっすぐに伸びた幹は四方に枝を張り巡らせながら、地上から十数メートルのあたりで両手を広げるように枝分かれしている。

私は立ち止まり、真下から樹上を仰いだ。雄一には笑われたが、本当にこの上に何かの影が見えたのだ。

巨樹の梢は幾重にも交錯し、上まで見通すことができない。日が落ちてしまったいまは、なおさらだった。葉は空を覆いつくすほど繁り、強まってきた風にざわめいて、私はびょうびょうと陰気な音を立てている。なぜか目をそむけることができなくて、私は風に揺れる繁り葉を見つめ続けていた。

ふいに、繁りの中ほどだけ、風とは違う方向に揺れていることに気づいた。息を詰めて頭上を窺う。

梢が大きく鳴り、何かが空中に飛び出した。

心臓が躍った。思わず幹にとりすがる。すぐにその何かの正体を知った私は、大きく息を吐き出して、ざらついた木肌にひたいを押しあてた。

梟《ふくろう》。山に登ればおなじみの鳥だ。大きな灰色の梟だった。どこへ飛び移ったのか、私の背後で嘲るようにひと声鳴いた。

くすの木肌のひやりとした冷たさのせいだろうか。私は唐突に、十五年前、弥生が消えてしまった直前のことを思い出す。あの時も確かこんなふうに、土塀に顔を埋めていたのだっけ。

目を閉じると、十五年前の風景が蘇ってくる。

妹とおそろいのコットンのワンピースを着た私の姿。庭を走るいとこたち。真っ赤なサルビアの花。古い映画を見るように、脳裏に鮮明な情景が浮かんできた。

白い土蔵。扉が少し開いている。私は中を覗く。冷え冷えとした空気やかびの臭いも蘇ってくるようだった。

子どもの頃の心の震えまで蘇ってきた。私は目を開け、二の腕をさすりながらくすの木から身を離した。そのとたんだった。葉が激しく騒ぐ音とともに、樹上から何かが落ちてきて、鼻先をかすめていった。今度は梟ではなかった。私は小さく悲鳴をあげた。

「どうしたね」背後で雄一の声がした。「遅いから、迎えに行こうかと思って」

私は無言で雄一を振り返り、それから木から落ちてきたものに目を走らせた。太いくすの枝だ。

「だいぶ風が出てきたからな。古い木だから気をつけねえと」

こともなげに雄一は言うが、枝といっても両手にあまる太さだ。もし木に寄りかかったままだったら、どうなっていただろう。私は呆然と、朽ちて落ちたとは思えない、たっぷり葉をつけ、ずしりと重そうな木の塊を見つめ続けた。それが私をめがけて落とされたように思えたのだ。まるで何かの警告のように。

夕刻から強くなってきた風は、夜になるとさらに激しくなった。雨はなかったが、奥座敷のテレビが台風接近のニュースを伝えている。新幹線も他のＪＲ線もストップしたらしい。どうやら今日は東京へ帰れそうもない。

座卓の上には夕食が並べられている。畑でとれた野菜を使った素朴な料理だが、品数はたっぷりで、雄一が気をつかって、せいいっぱいもてなしてくれているのがわかる。とはいっても、それほど歓迎されているわけではないことは変わらない。

「三島に出るら？　あそこならホテルがいくらでもある」

雄一が聞いてくる。早く帰れと言っているように聞こえた。私の突然の訪問は、やはり雄一を困惑させているようだ。

「クルマで送っていくから」

それだけ言うと、視線を茶碗に戻した。雄一は何も喋らずもくもくと食事をする。気持ちのいい食べっぷりだった。父のことを思い出して、食事の時にお酒を飲まない男もいるのだと、私は妙なことに感心した。

「雄一さんは、この家を離れようとは思わないんですか？」

二人の間の沈黙に、おずおずと言葉を投げ入れた。長い間《ま》を置いてから返事が返ってくる。

「畑があるからな。俺、長男だし」あい変わらずのぶっきらぼうな調子でそう言い、照れたようにつけくわえた。「この家を守んなきゃならねえから」

かすかな笑みを浮かべると、昔のユウ兄ちゃんの顔そのものになる。私はようやく、さっきから口に出そうとしていた言葉を絞り出すことができた。

「あの、雄一さん」なぜそうしようと思ったのか、自分でもよくわからなかった。

「もし構わなければ、今日は、ここに泊めていただけませんか？」

たぶん何かが気にかかって、胸に棘《とげ》のように刺さったままだったからだ。もしこのまま帰ってしまったら、弥生がこれっきり遠い記憶になってしまいそうな気がした。

でも、言ってしまってから、いとこ同士とはいえ、この家に雄一と二人きりになる気まずさに思い至って、私は口をつぐむ。

案の定、雄一も困惑の表情になった。私から顔をそむけるようにお茶を淹れながら、ぼそりと呟く。

「まぁ、こんなとこでよけりゃあ」

こちらに背中を向けていたから、どんな表情をしていたかはわからなかった。

ごうごう。

裏山で風が騒ぐ音が、天井から地鳴りのように降ってくる。雄一が用意してくれたのは、土蔵を改築した離れの二階だった。嫁ぐ前まで良子が使っていた部屋だと言っていた。土蔵の外郭をそのまま残して二階建てにしているから天井が低く、三角に傾斜した天井の真ん中に、燻《いぶ》したような色合いの棟木が剝き出しになっている。

時刻は十一時過ぎ。他に何をするでもなく床には就いたが、冴え切った頭をもてあましていた私は、布団の中で風の音を聴いていた。

部屋には曇り硝子《ガラス》の窓がひとつあるだけだ。庭の誘蛾灯に照らされて、窓は暗い水槽のようにおぼろげに光り、その向こうで影絵となった梢が揺れている。くすの枝がそこまで伸びているのだ。風に揺れ騒ぐ木の影が、身をよじる生き物に見えて、なんだか気味が悪い。カーテンがあればいいのに、と思いながら私はずっと窓に背中を向けていた。

反対側の壁際には、良子の机が置かれたままになっている。壁にはアイドルタレントの男の子のポスターも残っていて、それが私を安堵させた。主のいない置き忘れられた机は、私に弥生の机を思い出させた。

弥生がいなくなってからも、いつ帰ってきてもいいようにと、両親は、私と共有の子供部屋から弥生の学習机や衣装ダンスを動かそうとはしなかった。だから私は中学二年まで、誰もいない机と隣合わせで過ごした。弥生の椅子にはチョウチョが描かれたクッションがそのまま残されていて、母は汚れてもいないのに時々カバーを洗濯していた。

女の子なのに、弥生は虫が好きだった。行方不明になった原因も、一人で蝉を採りに森へ行ってしまって迷ったのではないか、と大人たちは話していた。でも、弥生が好きだったのは、本物の虫というより、むしろ空想の中の虫たちだったはずだ。虫が主人公の絵本や昆虫図鑑を、飽きずに眺めているような子だった。いなくなったあの日のワンピースの柄も、いちばんのお気に入りの白地に蝶をあしらったもので、首からはてんとう虫のペンダントを下げていた。両親がつくった何種類ものビラやポスターに、失踪時の服装の絵が必ず添えられていたから、よく覚えている。

明日、もう一度、裏山を歩いてみよう。そう決めた。何も見つからなくていい。何も見つからないことが、弥生を現実の世界につなぎとめる一本の細い糸なのだ。

明かりを消して目を閉じたが、なかなか寝つくことができなくて、何度も寝返りを打った。

何度目の寝返りを打った後だろう。

こつん。こつん。

暗闇の中でノックの音がした。体を固くして、耳を澄ました。すると、もう一度

——こつん、こつん。

窓からだ。曇り硝子を叩く音。うなじの毛がちりんと逆立った。すべての感覚の中で、聴覚だけがとぎ澄まされて鋭くなる。悲鳴に似た風の音。木々のざわめき、そしてまた――

こつん、こつん。

見たくはないのに、見ずにはいられなかった。私はおそるおそる窓に顔を向けた。曇り硝子の左から右へ黒い梢の影が横たわっている。その影が横風にあおられて、濃くなり淡くなり、点滅するようにちらついていた。

淡く、濃く、淡く。影が濃くなった瞬間、また、こつんと音がした。

なんだ。何とかの正体見たりだな。風に吹かれた木の枝が窓にあたる音だった。よその家の初めての部屋で、おまけに外は台風だから、ちょっと神経が過敏になっているのだ。私は強がって鼻唄を歌い、ポスターのハンサムくんに、おやすみと声をかけ、もう一度、自分の臆病さを笑うために窓を見た。そして、気づいた。

曇り硝子の向こうのシルエットが妙だった。梢の上にぼんやりと影がある。あんな枝ぶりだったろうか。さっきまで何もなかったはずの梢の中ほどが、新しい枝葉が出現したようにこんもりと盛り上がっていた。まるで何かがうずくまって、じっとこちらを窺っているふうに見える。ぞくりと背筋が震えた。

神経過敏、神経過敏、口の中でそう唱えながら私は鼻唄を歌い続け、挑むように窓から目を離さなかった。樹上の影は、ぴくりとも動かない。風に揺れる梢とともにゆらゆらと影の濃さを変えるだけだ。

そう、やっぱりただの木の影。そうに決まってる。起き上がって窓に近づいてみた。あと二、三歩の距離にきた時だ。身を縮めていたようなその影が伸び上がり、ふいに消えた。

ありったけの勇気を振り絞って、窓を引き開けた。生暖かい風が吹きつけてくる。目の前で一本の枝が揺れているだけだ。さっきの影だったものがいた辺りには、闇しかない。

顔を突き出して窓の外を見上げる。くすの木の巨大な影法師が、ごうごうと風にうねっていた。

こんこん。

背骨に冷たい電流が走った。今度は後ろ。部屋のドアからだ。

身構えるように姿勢を低くし、まなじりを決してドアを開けると、呆れ顔の雄一が立っていた。

「窓が開く音がしたから」

台風が気になって外を見まわっていたのだ、と弁解する口調で言う。

「じゃあ、さっき窓の外にいたのは、雄一さんだったんですね」

私の言葉に雄一が目を丸くした。

「ここは二階だ」

そうだった。

「窓の外で何かが動いていた気がして」

怖がっていることを笑われたくなくて、ことさら軽い調子で私は言った。

「梟だ。あいつに巣をつくってるんだよ」

パジャマ代わりのTシャツしか着ていない私をちらりと見て、雄一はバツが悪そうに視線をそらす。

こつん。

また窓の外で音がした。思わず雄一の大きな手にすがりつき、握りしめてしまった。

「だいじょうぶ、ただの風だ」

雄一の手のぬくもりが、私を安堵させる。正直に言えば、私は少しの間、雄一に一緒にいて欲しかった。昔のように手を握ってもらえれば、安心できる気がしたのだ。

だが雄一は私に背を向け、ぼそぼそと低い声で呟きながら部屋を出ていってしまった。

「なんでもない。なんでもないんだよ。気に病むと、なんでもかんでも、恐ろしく見えるんだ」

私に言い聞かせているのか、独り言なのか、よくわからない言葉だった。

窓を見ないように頭から布団をかぶり、ようやくまどろみはじめたのは、どのくらい経ってからだろうか。私は夢を見た。

夢の中で、弥生が叫んでいた。

おねえちゃん、おねえちゃん。

くすの木の上からだ。

樹上に二つの影があった。猿に似た真っ黒い大きな生き物が、弥生を抱えて、するすると木の上に登っていく。弥生は泣きながら助けを求めている。

たすけて。おねえちゃん、たすけて。

私は手を伸ばすが、とても届かない。何度も弥生の名を呼んだ。そして目が覚めた。

朝になっていた。昨夜、あれほど忌まわしい存在だった窓が、別物をあつらえたように眩しく輝いて、明るい日差しを部屋に投げかけている。

起き上がってすぐに窓を開けた。目の前の梢は、朝の光の中で見てもやはり、見間違える枝や葉叢《はむら》など、どこにもない。空はよく晴れ、風もすっかり静まっている。そこには夜の闇の中で怯《おび》えていた私を嘲笑うような、夏の終わりの気持ちのいい朝しかなかった。

でも私は、昨夜のことを考え続けていた。考えれば考えるほど、この平和な夜明けが嘘っぱちに思えてくる。

窓の外枠にくすの木の葉が吹き寄せられている。あれだけの風だったのだから、散り落ちていても不思議はないが、どこか不自然だった。葉が一カ所にだけ積み上がっているのだ。それもきちんと重ねられているふうに見えた。何枚も何枚も。供《そな》え物のように。ちょうど昨夜、奇妙な影のうずくまっていた辺りだ。

樹上の影が消えた瞬間を、もう一度思い返してみる。雄一は梟だと言ったが、そうじゃない。梟なんかじゃない。もっと大きかったはずだ。第一、梟の羽根や尾を、手や足と見まちがえたりするだろうか。

昨夜の背骨の震えが蘇り、そして眠れないまま、ずっと脹らませていた疑念が、私の頭の中で弾けた。

あの木には、何かがいる――。

窓から身を乗り出して左手にそびえる巨樹を見上げたが、くすの木は朝日に葉の波を輝かせ、穏やかな風にさわさわとそよいでいるだけだった。

唐突に思いついた。あの木に登ってみよう。

馬鹿な思いつきだったが、とても正しいことのように思えた。なぜか、そうすれば、弥生が消えた原因を知ることができる気がしたのだ。

経験は浅いがロッククライミングにはそこそこ自信がある。急いでジーンズを穿き、両手にリストバンドをした。窓の向こうの梢より下に、枝はない。この部屋の窓から出発するつもりだった。

靴はないが、かえって裸足のほうがいいかもしれない。いくら木登りとはいえ、三十メートルもある巨木だ。ロープなしで登って、もし足を滑らせたら、そう考えると膝が震えた。しかも何があるかわからない。文字通り何があるのか、何がいるのか——。

自分を奮いたたせるように、髪を後ろにたばねて、バンダナで結んだ。体中の血がすくりと立ち上がった気がして、少し勇気が出た。よし、行こう。

窓から身を躍らせた。まず右手で枝を握り、窓枠を足で蹴る。体が宙に浮いた。幹に近い方へ左手を思い切り伸ばして摑《つか》み、枝にぶら下がる。雲梯《うんてい》の要領で体を移動させ、幹までたどりついた所で、枝に体を引き上げた。

縦に荒々しく刻み目が入ったくすの木肌は、植物というより岩石のようだ。頭上には視界いっぱいに葉が繁っている。私にのしかかり、押し潰そうとするかのような圧倒的な葉の海だ。その葉陰から、いまにも恐ろしい獣が飛び出てくる気がして、私は身震いする。

とにかく登ることに神経を集中しよう。そう考えた。姿も見えないものに怯えていたって始まらない。

右手斜め上、街路樹の幹ほどもある大枝に攀《よ》じ登った。そこで私は早くも途方に暮れてしまう。この先にはハンドホールドになりそうな枝がない。木肌の凹凸《おうとつ》を手がかりにできないかと思って指をかけたら、手の中で崩れてしまった。

手を伸ばしてやっと届く高さに、人の頭ほどのこぶが盛り上がっていた。あそこをホールドにするしかなさそうだ。

爪先立つと、なんとか指先がかかった。指に力をこめ、こぶにぶら下がり、足の指を木肌の突起にひっかけた。ぼろぼろと樹皮が剝がれ、地上にこぼれ落ちていく。

こぶに胸を押し上げ、それからお腹を載せた。奥行き十五センチにも満たない場所で体勢を整えて、こぶの上に立つ。下は見ないようにした。

ようやく三番目の枝。ここから先には手がかりになりそうな枝やこぶが多いが、上にゆくにしたがって小枝がふえてくる。慎重にルートを選ぶ必要がありそうだった。手のひらの汗をTシャツでぬぐって、斜め右、目の高さにある一番太い枝に手を伸ばした。群がるように葉が繁り、葉のひとつひとつを朝日に輝かせている。きらきら光る葉叢の中で、二つの目がこちらを睨んでいた。

思わず手をひっこめた。その枝の葉だけ、強風にあおられたように揺れている。葉のすき間から、灰色の塊が動いているのが見えた。

梟《ふくろう》だ。

もう一度、右手を出した瞬間、鋭い痛みが手の甲を刺した。バランスを崩してあやうく足を滑らすところだった。梟がくちばしで突っついてきたのだ。

がさがさと葉を鳴らしてみたが、逃げようとしない。枝を摑もうとするたびに、鋭いくちばしで執拗に攻撃をしかけてくる。猫のように瞳孔がすぼまった表情のない目は、私を追い返そうとする、何かの意志が乗り移っているようにさえ思えた。

あきらめて目標を左上の頭上三十センチ辺りにある枝に変えた。こちらは頼りないほど細い。両手でぶらさがると、案の定、みしりと嫌な音がした。すべての体重がかからないように、体をひねって右足を振り上げ、梟のいる枝を足場にした。

ぱきり。突然、足の先で枝が消えた。頑強そうな大枝があっさりと折れ、ばさばさと葉を鳴らしてはるか下へ落ちていった。

固定されているかのように動かなかった梟が、空中に飛び立つ。私は地上から十メートルの高さで宙づりになってしまった。私の体重に枝が大きくしなり、不吉な音を立てて揺れる。

恐怖を感じるより先に体が動いた。両腕に力をこめ、懸垂で体をいっきに引き上げる。八年間の登山歴のおかげで、ノースリーブを着るのをためらうほど筋肉のついている自分の腕を、今日は褒めてやらなくちゃならない。

細枝はなんとか持ちこたえてくれた。枝の上に体を押し上げた私は、すぐに手近なもう一本の枝を握りしめ、体重の半分をそちらにかけた。私を取り囲む枝葉のすべてが、邪悪なものに思えてくる。警戒の目をぐるりと巡らせてから、息を吐き、幹に身を預けた。

ひたいの汗を拭うと、手にしみついたくすの葉と樹皮の鋭い刺激臭が鼻を刺した。

ふいに周囲の風景がぼやけ、頭の中に映像が浮かんできた。

暗い古びた部屋。ひび割れた壁。遠い記憶の中の改装前の土蔵だ。隅のほうには農具や大きな麻袋が山積みになっている。私は天井を見上げていた。焦げ茶色の棟木が背骨のように走っている——。

驚くほど鮮やかな記憶だった。思い出しているというより映画のスクリーンを眺めているみたいだった。夢から覚める時のように私は首を振り、その幻覚に似た映像を頭から追い払う。目の前の光景が、またくすの樹上に戻った。

三上の家の屋根は、もうはるか下だ。ここから眺め下ろす母屋は、やけに小さく、見すぼらしく、朽ちかけた廃屋じみて見えた。開け放ったまま出てきたはずの離れの窓が閉まっている。窓の向こうに顔が浮んでいた。

雄一だった。こちらを見上げている。きっと呆れ返っているに違いない。そう思ったのは、その表情を見るまでだった。雄一の顔に張りついていたのは、呆れ顔でも驚きでもなかった。

凍りついた恐怖の表情。しかも急に何十歳も年老いて見えた。まるでこのくすの木と同化したように乾いて、干からびた、土気色の顔。目があった瞬間、その顔が窓から消えた。

おそらく雄一も知っているのだ、ここに何かがいることを——。

私はいままで以上に慎重に上をめざした。両足をフットホールドに置き、片手で枝やこぶをホールドにして、クライミングの基本通り三点確保をする。もう一方の手を枝に伸ばす時には、繁りの向こうに、何か得体の知れないものが潜んではいまいかと、葉陰に目をこらした。

大枝が二股に分かれた場所まで、あと数メートルに近づいた時だ。頭上でがさがさと葉が揺れる音がした。私は体の動きをとめ、耳を澄ます。

梟じゃない。もっと大きなものが動く気配。真上の梢からだ。

息を殺して、そろりと見上げた。

何もいなかった。音は確かにしているのに、梢の葉はそよりとも動いていない。真上から左へ、音だけが動いていた。

目ではなく耳で、その動きを追った。音だけの気配は、左手の梢を鳴らして、幹の向こう側に消えようとしている。私は自分でも意外な言葉を漏らした。

「弥生？」

気配が幹の向こうに消える瞬間、白いワンピースの裾が翻った気がしたのだ。柄まではっきりと。白地に黄色い蝶の刺繍。

その気配が私を導いてくれている気がした。わずかな凹凸を頼りに慎重に体を横移動《トラバース》させて、幹の反対側に出た。頭上には、手頃な枝がはしごをかけたように整然と並んでいた。

残りの数メートルを、いっきに登った。いつの間にかこの木への恐怖心は消え失せていた。

最後の枝を使って体を引き上げると、扉が開くように視界が開けた。この巨樹が両手を広げたかたちで枝分かれした場所だ。

地上から十五メートル余り。両腕を回しても抱えきれないほどの大枝が左右に伸び、その中央に大きな揺りかごを思わせる空間をつくっている。風が樹間を抜け、眼下にはビルの屋上から展望するような風景が広がっていた。

私は一方の大枝に背中を預けて、息が整うまで深呼吸を繰り返す。Tシャツを体に張りつかせている汗を、風がひんやりとした感触とともに乾かしていった。

地上からは、何が潜んでいてもおかしくないように見えた巨樹の上部の繁りが、ここからはすべて見通せた。二つの大枝の先は、さらに枝分かれし、根元近くの葉よりいくぶん色の薄い葉が、あっけないほど明るく輝いていた。

自分がさっき見たと思ったものは何だったのだろう。ため息に似た呼吸を続けながら、木のゆりかごの中で、呆然と周囲を見まわす。

もう一方の枝の付け根は、朽ち果てていて、大きな洞《ほら》が口を開けている。枯れ葉や木片の残骸に埋まったその空洞の底で、朝日に照らされて何かが光っていた。

鎖だった。

　足場を確かめるのも忘れて、洞に近づき、手を伸ばした。鎖は光って見えたのが不思議なほど錆《さ》びついている。枯れ葉の中から摑み上げた。それが何であるか、見る前から私にはわかっていた気がした。

　鎖の先端に泥だらけの小さな塊がついている。こびりついた泥をたんねんに削ぎ落とした。すっかり色褪《あ》せてはいたが、それはプラスチック製のてんとう虫だった。

　ペンダント。弥生のてんとう虫のペンダント。

　私は気が違ったように、枯れ葉と木屑《きくず》をかき分けた。洞の中は冷たく乾いていて、仄暗《ほのぐら》いその底には木片に似ているが木片ではない、もっと白くてなめらかなかけらが、いくつも散らばっていた。

　弥生はここにいたのだ。

　十五年前の弥生の体を抱きしめるかわりに、小さな骨とペンダントを固く握りしめて、私は目を閉じる。真っ白になってしまった頭の中にさし入れられるように、また幻影が見えてきた。

　土蔵の中だ。天井を走る棟木が見える。土蔵の床に横たわって見上げた光景。もう私は気づいていた。これは私の記憶ではない。古い土蔵の中に、私は一度も足を踏み入れたことがないのだから。

これは弥生の記憶なのだ。十五年前に見たものを、弥生が私に見せようとしているのだ。

視界の左右には古びた農具と麻袋。誰かの顔が覆いかぶさってくる。蝶の柄のワンピースはめくれ上がり、下着がくるぶしまで引きおろされている。息が苦しい。首を絞められているのだ。頭上の顔は熱い息を吐き出し、汗をかき、目を血走らせている。

それは十五年前の雄一の顔だった。

しばらく両手の拳を握りしめたまま、顔に押し当てていた。頬を伝っているものが涙なのか汗なのか、自分でもよくわからなかった。拳の間から青い香りがこぼれた。くすの樹液の匂い——樟脳《しようのう》の匂いだ。昔、同じ匂いを嗅いだことがある。それがいつだったのかを、ようやく思い出した。十五年前、私の手を握っていた、雄一の手のひらの匂いだ。

私はすべてを理解した。雄一だ。あの男だ。あいつが弥生を殺したのだ。悪戯《いたずら》をしようとして騒がれて首を絞めたのだ。弥生は見つからなかったはずだ。雄一が木に登って死体をここに隠したのだ。

涙か汗かわからないものを、私は拳でぬぐい去る。

「よし、弥生。お姉ちゃんが仇《かたき》をうってやるからね」

風や鳥たちに荒らされたらしく、弥生の骨はほんのひと握りしか残っていなかった。その骨のかけらとペンダントをジーンズのポケットにしまいこみ、洞の脇から伸びた枝のひとつに手をかけた。武器にするためだ。雄一と力づくで争うことになったら自分にどんな危険があるか。そんなことは頭から飛び去っていた。

仇をうってやる。仇をうつんだ。私は八歳の子どもが駄々をこねるみたいに、頭の中で同じセリフを繰り返した。

なんだか弥生の体を傷つけている気がして、枝を折る時に「ごめんね」と囁いた。枝はまるで折られるのを待っていたように、乾いた音をさせて簡単に幹から離れた。じゅうぶんな硬さのその枝をベルトに差しこんで、私は降りていった。

あの男はきっと下で私を待ち受けているに違いない。私に何かしようとしたら、この枝で頭をぶったたいてやる。いや、何もしなくても、ぶったたいてやる。弥生の仇うちだ。頭の中では、哀しみと怒りが同時にぐるぐると駆けめぐっていた。

降りるのは、登るより難しかったが、恐れも躊躇《ちゅうちょ》もしなかった。弥生が私を守ってくれるはずだ。あの梟の警告も、たぶん私に危険を知らせるためのものだったのだ。さっきも、昨日、大枝が落ちてきた時も。どこかの枝に白いワンピースを着た弥生が腰かけて、こっちを見ている気がした。

出発点だったいちばん下の枝のところで、幹に張りついて様子を窺った。ここから見るかぎり、土蔵の窓の向こうにも、木の下にも、裏庭にも雄一の姿はない。よし、地上に飛び降りよう。

私は枝に両手をかけ、ぶら下がった。目の前に雄一の顔があった。

わっ。

尻もちをついて地面に落ちた。私は何か叫んでいたと思う。叫びながらベルトから抜け落ちてしまった棍棒を探して、地面にはいつくばった。そして、思い出した。雄一の顔が浮んでいたのは、地面から二メートル以上の高さだったことを。

四つんばいのまま頭上を仰ぐ。目の前で、靴のない雄一の足が揺れていた。きい、きい、きい。雄一の首にかけられたロープのもう一端が、枝が囁《ささや》いているような軋みをあげていた。

それからのことはすべて、自分とは無関係の遠い世界で起きているようだった。私は地元の小さな警察署の一室で、木の上で見たもののことを話した。骨とペンダントのこと。彼らが信じるであろうことだけを。

だが私服の警官たちは、弥生のことより雄一の自殺と、なぜよそ者の私があの家にいたのかにしか興味がないようだった。私が差し出した骨には、まぁ、いちおう鑑識に回しておきますけど、と熱意なく言い、東京と違ってこの辺じゃ動物の骨は珍しくないんですよ、お嬢さん、そうつけ加えた。

でも、私は確信していた。弥生の消えた理由と、その犯人を。発覚を恐れて、あのくすの巨樹のもとを離れることができず、呪縛されたように樹陰で暮らしてきた雄一が、自ら死を選んだことが、なによりの証拠だ。

結局、私が解放されたのは、その日の午後遅くだった。雄一の遺体は行政解剖を行った後、近くにある本家に引き取られるだろうと警察で聞かされた。本家では、もう葬儀の準備が始まっているという。もちろん私は、そんなものに行くつもりはない。

三上の家にはもう人影がなかった。開け放ったままの戸や、踏み荒らされたサルビアの花が慌ただしい騒ぎの跡を残すのみで、主《あるじ》のいない家だけが、くすの巨木が投げ落としている深く暗い木下闇《このしたやみ》の中で、ひっそりうずくまっていた。

くすの木の根元に雄一へ手向《たむ》けられた花束が置かれている。私はそれを遠くに押しのけて、警察署の近くで買ったひまわりの花を置いた。弥生のための花束だ。そして十五年前、ほんとうは弥生が言うはずだった言葉を、弥生のかわりに言った。

「もういいよ」

風もないのに、くすの木の樹頂が、ざわりと揺れた。

しんちゃんの自転車

からからから。

坂道を下りてくる自転車の音がします。

しんちゃんの自転車です。

からからからから。さびたチェーンを油の足りないペダルがまわす音。

なにしろ、いまから三十年も前のことですから、自転車はみな重くてごつごつしていて、子どもたちが使うものは、たいてい誰かのお古で、きっとどこかがこわれているのです。

私はふとんの中で耳をすまして、その風ぐるまみたいな音を聞いていました。しんちゃんが涙目になりながら、歯をくいしばっている様子が目に浮かぶようです。

当時、私の住んでいた家の脇道《わきみち》は、長い長い急坂で、自転車に乗りはじめた子どもたちからは「ちびり坂」という名で恐れられていました。五年生にもちびった子がいるという噂《うわさ》まであるのに、しんちゃんは意地っぱりだから、三年生なのに、いつもブレーキをかけずに下りてくるのです。

きぃぃぃぃ～っ。

坂の下でブレーキの音がします。私はふとんの端をぎゅっとつかみました。それまでは、てっきり空耳だと思っていたから。だって、ついさっき、柱時計が十一回鳴ったのを確かに聞いたのです。午後十一時すぎ。八歳だった私には、とんでもない真夜中です。

まさか、しんちゃんのはずがない。

でも、そのまさかでした。

こつん。

窓を叩《たた》く小さな音が、真夜中のしんしんとした静けさの中にこだましました。

いつもの合図です。

私はふとんの中で両方の耳を引っぱりました。寝ぼけているのではないかと思って。

あ、痛い。夢ではありません。

そっとふとんを抜けだして、窓辺に近寄りました。しんちゃんが玄関から私を誘いに来たためしは一度もありません。母がいい顔をしないことがわかっていたからです。

私を遊びに誘う時は、いつもこうして二階の隅っこの、私の部屋の窓に木の実をぶつけて、こっそり呼ぶのです。

夏の間は、青いちじく。

いまのは、たぶん、どんぐり。

窓を開けたら、やっぱり。

月の光に照らされた裏庭で、しんちゃんの坊主頭が光っています。私の目は、きっとまんまるになっていたでしょう。もう一度、耳を引っぱってみました。痛いです。

しんちゃんは前歯の欠けた口を八つ切りすいかのように開けて、にかっと笑いました。

「おはよう」

念のためにもう一度いいますが、いまは真夜中です。おはようと言われても困ります。

私は唇に指をあてて首を振りました。家の中はもう寝静まっていましたが、隣の部屋で寝ている母は神経質なたちで、物音や光にとても敏感な人なのです。私が口にする食べ物や、私の学校の成績や、私がつきあう子どもたちの素性にも。

しんちゃんは両手をほほにあてて、唇を「あ・そ・ぼ」というかたちに動かしました。私が「え?」というふうにまた目を見開くと、今度は「おりてこいよ」と唇のかたちだけで言い、手招きをします。その様子があんまり普通だったから、思わずこくりとうなずいてしまいました。

急いで着がえて、窓ぎわまで伸びている柿の木の枝にしがみつきました。おさるのように両手両足で枝にぶらさがって、腰を伸びちぢみさせると少しずつ前に進みます。幹までたどりついたら、あとは枝をつたって下りるだけ。しんちゃんに教えてもらったワザです。母さんが目を覚ましませんように。私のこんな姿を見たら、きっと卒倒してしまうに違いありません。

「パン・ツー・まる・見え」

しんちゃんが手を叩き、指を二本つき立ててから丸をつくり、そして遠くを見るようにおでこに手をあてました。

しんちゃんお得意の、古めかしいギャグです。パンツなんか見てやしないくせに。小学三年生のしんちゃんの目を釘づけにしているのは、私のスカートの中なんかではなく、赤くなりはじめた柿の実のほうに決まっています。

「どうしたの、いったい」

柿の木の下で声をひそめて聞きました。私につられて、しんちゃんもひそひそ声を出しましたが、まるで答えになっていません。

「今日はどこ行く？」

「いまから？」

「うん」

「うんって、もう真夜中だよ」

「そうだ、おたま池のほこらにしよう」

どんぐりみたいな目をくりくりさせて言います。そうです。いつだって、人の言うことなんかまるで聞かない子なのです。

月の光の中で、しんちゃんの自転車がさん然と輝いています。がっしりとした荷台のある黒くて大きな自転車。廃品回収の仕事をしていて、いつもリヤカーを引いているお父さんのおさがりだと聞きました。サイズは二十六インチ。低学年の子どもたちなら誰もが憧れる大人のあかしです。

「さ、乗れよ」

しんちゃんが指をくいっと動かします。テレビのヒーロー物の、主役の人の口調としぐさをまねしたらしいのですが、片方の鼻の穴からハナをたらしてそんなことを言ってもだめです。私がちり紙を渡すと、ぷうっとハナをかんで、もう一度言いました。

「乗れよ。レッツ・ゴーゴー」

すぐには返事ができませんでした。先週の木曜日のことがあったからです。でも、しんちゃんがおたま池に行きたがっているのは、先週のことがあったからに違いないのです。とにかく意地っぱりだから。嫌とは言えません。

「しっかりつかまってろよ」

「うん、わかった」

二十六インチに乗れるとはいっても、サドルに全部お尻《しり》をつけてしまうと、しんちゃんの足はペダルに届かないから、立ちこぎです。自転車は少しの間、私の重さにふらふらします。からからとチェーンが回転するうちに、ようやくスピードをまして、すべるように夜道へ走り出しました。

さすがにちびり坂は登れないと思ったのでしょう。遠まわりをして、郵便ポスト通りと呼ばれる農道の方角へ向かいます。

月の明るい晩でした。なにしろ三十年も前で、しかも田舎のことですから、外灯などなく、電信柱の上に裸電球が光っているだけの道でしたけれど、自転車のライトが消えかかっているのも気にならないほど。私と自転車の影が、田んぼ道に黒々と映っていたのを覚えています。

二人でこっそり遊びに行く時には、いつもしんちゃんの自転車の後ろに乗りました。私が小学三年生になっても、自転車に乗れなかったからです。乗れるようになったのは、みんなしんちゃんのおかげです。

この日がいつだったのか、正確な日づけはいまでも思い出せません。風は少し冷たかったけれど、秋の早いあの地方のことだから、たぶんまだ九月の末だったと思います。

あの地方、なんて私がよそよそしい言い方をするのは、そこで暮らしていたのが、その年の春から秋にかけての半年間だけだったからです。

母の生まれ故郷でした。やっかいな小児ぜんそくだった私のために、一時的に転居したそうです。二十歳まで生きられるかどうか、お医者さんにそう言われるほどだったとか。あの頃の私は、毎晩目を閉じる時に、次の朝も自分が目覚めることができるのかどうかさえ不安で、びくびくしながら暮らしていました。それからもう三十年、いまの私は自転車をすいすい。とんだ藪《やぶ》医者ですね。

たぶん本当に悪かったのは、私の体より母と父の関係だったのだと思います。父はその頃、母や私とは別のところで、ほかの女の人と暮らしていました。お医者さんでも治せない重症。いまにして思えば、母が私を連れてあの家に戻っていたのは、そんな事情もあった気がします。

からからからから。

夜の郵便ポスト通りに人影はありません。道の両側では稲の穂が重そうに首をたれ、その向こうにぽつぽつとわらぶき屋根が見えるだけ。朝が早い農家ばかりでしたから、家々の灯は、とっくに消えています。

小さな郵便局と赤いポストを過ぎると、あたりはさらに寂しくなってきました。雑木林を騒がす風の音が、たくさんの人の囁き声に聞こえます。

ざわざわざわ。

月の光に白く照らされたすすきの穂は、たくさんの腕が手招きをしているよう。

ゆらゆらゆら。

私の胸もざわざわ、ゆらゆらしてきて、しんちゃんの自転車の後ろで小さく体をまるめていました。荷台をぎゅっとつかみながら、やっぱり来るんじゃなかったと後悔しました。なにしろ鎮守の森のおたま池は、ここに住む子どもたちにとって、それは恐ろしい場所なのです。

人がいなくなって荒れ果てた神社の中にある、ひっそりとした池です。池のまん中に中洲があり、そこにぼろぼろに古びたほこらが建っています。

ほこらの中には五年前に行方不明になった神主さんがいる。子どもたちはそう噂していました。どういうふうに「いる」のかは謎です。ある子はミイラになっていると言い、別の子はすっかり骸骨になっていると大人から聞いたと言い、雨水を飲み、ムカデを食べてまだ生きていて、誰かがのぞくと「見るな」と大声をあげる、なんていう恐ろしい話もありました。本当のところは誰も知りません。誰ものぞいたことがないのですから。

昼間でも怖いおたま池のことを考えただけで、体がぶるりと震えます。しかもそこへたどりつく前には、もうひとつ、恐ろしい関門が――。

ざわざわざわ。

ゆらゆらゆら。

私の不安をよそに、自転車は夜の中をぐんぐん進みます。自転車に乗れない私は、いまさら一人で帰るわけにもいかない。

自転車に乗れなかった理由のひとつは、激しい運動を禁止されているため。もうひとつ理由があるとしたら、五歳の時、初めて買ってもらった二十インチの補助輪付き自転車が、すでにほかの女の人のところにいた父から届いたプレゼントだったせいかもしれません。私が喜んでそれに乗ると、母が悲しむ気がしたのです。

母の話だけを聞くと、父はひどい人ですが、大人になって事情をくわしく知った私の最初の感想は、「どっちもどっち」。私をどちらが引き取るかで、父と母は何年ももめていました。

どっちについていく？　そう聞かれたこともありました。でも、八歳の私に答えろというほうが無理です。その頃の私はそれこそ、自分がどこへ行こうとしているのかもわからず、人の自転車の後ろに乗っているようなものだったのですから。

からからからから。

しばらく進むと左手に桑畑が見えてきます。その先には、子どもたちの夜歩きをはばむ恐ろしい関門。このあたりの墓地です。

桑の葉の間からにょきにょきと顔を出している卒塔婆《そとうば》や石灯籠《いしどうろう》が、人の頭に見えました。その頭がみんなこっちを向き、私たちを睨んでいるように思えました。目を閉じてしまいたいのですが、目をつむると、開けた時に目の前に何かが現れそうで、もっと怖い。

「なんだかこわい。誰かがいるみたいだね」

私は口に出して言ってみました。言葉にすれば、少し恐ろしさが薄れる気がして。だけど、しんちゃんのひと言で、その努力も水のあわ。

「うん、いるんだ」

「…………………………誰が？」

「坂田のおばあ。さっき来る時に見た。おそなえまんじゅうでお手玉してた」

坂田さんちのお婆さんはすっかりぼけてしまっていて、毎晩ふらふらと出歩くから困っている、と坂田のお嫁さんが母の実家のお嫁さんにこぼしているのを聞いたことがあります。でも、坂田のおばあがいるはずがない。だって——。

「ね、坂田さんとこのおばあさんって、先月——」

「ああ、自分が死んだことも忘れちまってるんだよ」

当時、その土地ではまだ土葬でした。死んだ人は丸いオケのような柩《ひつぎ》に入れて、そのまま葬るのです。死者が迷い出ないよう、盛り土の上に大きな石を置くという土地柄でしたから、なにがあっても不思議はないのです。

「ほんとに？」

「ほんまちよこ」

しんちゃんのギャグはいつも古くて笑えません。いまはとくに笑えない。闇のむこうから、坂田のおばあが歌う数え唄が聞こえてくる気がして、私は自分の両手だけを見つめ、指のつけ根にでこぼこができるまで荷台を握りしめました。

墓地を過ぎると、いよいよ鎮守の森。熊笹の中をいつまでもだらだら坂が続きます。

しんちゃんは海老《えび》のようにそり返って自転車をこいでいます。

「だいじょうぶ？　私、降りようか」

「うぎぎ」

「後ろで押そうか」

「うぎぎぎ」

しんちゃんは意地になって返事をしません。

「手がもげちゃうよ」

本当にもげそうなんですもの。

坂道をようやく登り切ると、しんちゃんは息をはぁはぁはずませて熊笹の中にへたりこみ、唇をつき出して言いました。

「お前、重い」

いまの私だったら、そんなことを言われたら、蹴とばしてやるところですが、八歳の私は嬉しくて声をはずませてしまいました。

「体重、一キロふえたんだよ」なにしろダイエットなんて言葉もなかった頃のことです。病弱でやせっぽちの私は、学年の標準体重をこえるのが夢でした。「ずっと寝てたからです。

ずっと寝ていたのは、先週の木曜日のことがあったからです。

先週の木曜日、こっそりおたま池に行った私たちは、池に落ちて溺《おぼ》れてしまったのです。私は病院に運ばれて、何時間も意識不明のままでした。退院してからも大事をとって、学校を休み続けていたのです。

「お前、もう後ろに乗るな。自分でこげよ」

しんちゃんの自転車で何度か練習したことはあったのですが、まったくだめでした。二十六インチなどいきなり乗れるはずがありません。

「俺、いつまでも乗っけてやれないぞ」

「うん、わかってる」

わかっていました。

「荷台っていうのは、荷物を置くとこで、人を乗せるとこじゃないんだ。父ちゃんがそう言ってた。俺なんか、小学校に上がる前から二十六インチに乗ってたんだぞ」

「練習するよ」

「ホジョリンなしでだぞ」

「わかった」

「だめだな」

「え、何がだめ」

「返事がだめ。迫力足んない。そういう時は、わかったじゃなくて、こう言うんだ」

しんちゃんが重大な秘密を打ち明ける顔で言いました。「がってんしょうたくん」

「なにそれ」

「いいから、言ってみ」

「がってんしょうたくん」

「なんか違うな」

「がってんしょうたくん」

五回目くらいでようやくしんちゃんは、うん、まあいいか、とうなずきました。

「俺が教えたなんて誰にも言うなよ。また先生におこられちゃうから。約束だぞ」

「がってんしょうたくん」

私は答え、きっぱりと口をむすびました。クラスの誰かが変な言葉を使うと、先生はしんちゃんを叱るのです。どうせお前が教えたんだろ、と。かわいそうな、しんちゃん。半分は先生の言うとおりなのですが。

ここからは歩き。鎮守様の石段です。

石段の両側の杉木立に月が隠れて、あたりはいっそう暗くなってしまいました。頭の上の真っ黒な杉の枝が私にのしかかろうとしているように見えました。それでなくても一人では昼間でも来るのが怖い場所です。なんとか足が前に動いたのは隣にしんちゃんがいたからです。

しんちゃんは余裕たっぷり。ららら〜。アニメの主題歌を歌っています。坂田のおばあを見ても驚かない、今夜のしんちゃんなら、怖いものなしなのかも知れません。

ららら〜。

そうでもなさそうです。よく聞くとしんちゃんの歌声は震えていました。わたしも震える声でいっしょに歌いました。

ららら〜。

ららら〜。

ビブラートで合唱。

石段を登りつめた右手、杉木立の向こうに夜空より黒く見えるのが、おたま池です。真っ黒い水面に、ぽとりと落ちたように月が映っています。

「月見うどんみたいだね」

「うん、でもまずそう」

しんちゃんが自分の言い出したことを後悔している声で言います。緊張のためか、おしっこを我慢している時の顔になっていました。

小島のような中洲に、ほこらの陰気な影が見えます。池は子どもの背丈より深くて、ふだんはとても中洲へは行けないのですが、この夏の台風で古い杉の木が倒れ、ちょうど橋のようにかかっているのです。先週の木曜日には、その杉の橋を渡りはじめて、たった三メートルのところで落っこちてしまいました。

杉の木に片足をかけてしんちゃんが言います。

「よし、いくぞ」

「がってんしょうたくん」

「こわくないぞ」

「うん、こわくない」

怖かった。夜露でつるつるすべる杉の橋を渡るのも、その向こうに見えるほこらも。いまにもほこらの扉が開き、神主さんのミイラが飛び出してくるような気がします。しんちゃんも同じだったのだと思います。震える声で言いました。

「ほこらじゃなくて、冷蔵庫だと思えばいいんだ」

「なんで冷蔵庫？」

「なんとなく。たんすでもいいや」

私たちは、冷蔵庫冷蔵庫、桐だんす桐だんす、と呪文みたいに唱えながら、杉の木にしがみつくようにして、進みました。このあいだみたいに落ちないよう、慎重に、慎重に。

ほこらの格子戸の中をしんちゃんがのぞきます。私は目を閉じて、しんちゃんの着物のすそを、ぎゅっとつかんでいました。しんちゃんの背中からは、ぷぅ〜んと土の匂いがしました。

「なにか見える？」

薄目だけ開けて聞きました。しんちゃんの坊主頭が、ぷるぷると横に揺れます。

「ねぇ、やっぱり帰ろうよ」

ぷるぷる。

「やめよう、バチがあたる」

私の言葉は逆効果でした。格子戸に足をふんばって開けようとしています。自分でも開くとは思っていなかったに違いありません。

ぎぃぃぃぃぃぃっ。

きしみをあげて扉を開くと、しんちゃんはカエルがつぶれたような声をあげました。

「ふぎゃ」

私はすばやく目を閉じました。

「わお」しんちゃんの声がします。

「なに？」

「わおわお」

「なに、なに、なに？」

私はありったけの勇気をふりしぼって目を開けます。

「なぁんだ」しんちゃんの声。

「なぁんだ」これは私。

ほこらの中にはなんにもありません。神主さんもいません。中にあったのは、月の光と、ひからびた蛾の死骸だけです。

ほこらはほこら。たんすはたんす。

池のほとりまで戻って、二人で大きく息をはき、そして、もう一度言いました。

「なぁんだ」「なぁんだ」

さっきまで震えていたことなんて、お互いに忘れた顔をして。そして本当に、いつのまにかここが恐ろしい場所であることを忘れていました。しばらく二人で池のほとりでどんぐりを拾ったり、並んで座って裸足になってぱしゃぱしゃと池の水をかきまわしたりしました。

小石を投げて、水面にいくつ波紋をつくれるかに熱中していたしんちゃんが、波紋が消えるのを見つめながら言います。

「このあいだは、ごめんな」

「え？」驚きました。しんちゃんが誰かにあやまるなんて。

「お前のこと、おぼれさせちゃってさ。俺、泳げないから、つい足にしがみついちゃって」

「気にしてないよ、ぜんぜん」

「どうだった、死にそうになった時って」

私は黙って首をかしげました。うまく答えられなかったのです。どんぐりを数えるのが忙しかったし。

「苦しかった？」

「よく覚えてない。でも、夢の中でお花畑を見た。春の花も、夏の花も、秋の花も、いっぺんに咲いてるお花畑。きれいだったよ」

いつも死の影に怯えていたくせに、あんなふうに花に囲まれて眠り続けていられるものなら、あんがい死ぬのも悪くないかも、なんて八歳の私は思ったものです。

「川がなかった？」

「あ、あった。お花畑の手前に。広い川だよ。でね、橋がかかってるの。牛若丸のお話に出てくるような橋。そこを渡れば、お花畑に行けるのがわかったから、私、そっちへ歩いて行ったんだよ」

「金色でぴかぴか光ってただろ」

「そう、金ぴかの橋……あれ、なんで知ってるの」

「俺も見たもん。花畑も見た。すげえきれえだった」

意外なことを言います。ふだんのしんちゃんにとって、おしろい花は落下傘《らっかさん》遊びの道具、サルビアの花は蜜を吸うおやつです。

「不思議。同じ夢を見てたんだね」

「おどろきもものの木さんしょの木」

「ブリキにタヌキに蓄音機」

しんちゃんがまた石を投げる。今度はひとつしか波紋をつくれませんでした。

「俺、川のこっちにいたんだ。向こうがわにお前が見えたんだよ。でも橋の手前で帰っただろ」

「うん、なんだか急にこわくなって、引き返しはじめたら、目がさめたの」

「やっぱりなぁ」しんちゃんが言います。「あの時、俺、お前のこと呼ぼうとしたんだよ。でも、やめた」

なんと答えていいのか迷ってから、最初に思いついた言葉を言いました。

「ありがと」

しんちゃんが死んだという知らせを聞いたのは、先週の土曜日。退院して、家に帰ってからです。私と同じ病院に運ばれた時、しんちゃんはもう息をしていなかったそうです。

「呼べばよかったな」

「もう遅いよ」

「なぁ、俺、臭い？」

「なんで」

「だって、お前、さっきから、こんな顔してるもん」しんちゃんが給食のピーマンを我慢して食べている時の顔をします。「鼻の穴が細くなってる」

「……別に」

「むりすんなよ。臭いんだろ」

「ちょっとだけ。でも気になんないよ。だって、しんちゃん、いっつも臭かったもん」

なぐさめるつもりだったのに、しんちゃんはかえって傷ついた顔をして、泥だらけの白い着物のすその匂いをかいでいます。初めて気づいたように、頭に巻いた三角の布を手にとって、しばらく眺めてから、それで、ぷうとハナをかみました。

私はむりして、鼻の穴を広げてみせました。本当のことを言うと、しんちゃんは臭かった。生きている時よりずっと。あぜ道で見かける干からびたカエルのような臭いがしました。

ずりずり。しんちゃんがお尻を動かして私から体を遠ざけました。

ずりずり。私がむきになって近づくと、またお尻をずらす。

ずりずり。

「ねぇ、どうやって出てきたの」

そう聞くと、しんちゃんはようやくお尻を動かすのをやめて、空を見上げました。むずかしいことを考える時のいつものくせです。

「わかんないんだ、それが。自分でも。生命の神秘だな」

理科の時間に習ったばかりの言葉を使って、鼻の穴をふくらませます。

「でも、生命もうないよ」

「あ、そうか」

「お墓の中って暗いの？」

「うん、暗い。真っ暗い中で、ずっと考えてたんだ。おたま池のほこら、おたま池のほこらって。そしたら、いつのまにか外に出てた。きっとどこかに穴が開いてたんだな。おととい、地震があったろ」

「うん」

「あれのせいかもしんない」

「じゃあ、もし大きな地震があったら」

「すごいや」

あちこちに穴の開いた墓地を想像しかけたのですが、怖くなってやめました。本当のことを言うと、ずっと怖かったのです。さっき、しんちゃんが来た時も、息がとまるかと思ったくらい。しんちゃんだから、平気なふりができたのです。突然やってきたのが、坂田のおばあだったら、とっくに気絶しています。

だけど、もう怖くありません。まっすぐ顔を見ることもできます。しんちゃんは前とちっとも変わっていないから。顔の色は冬の畑の土みたいで、左の耳が何かにかじられたように欠けてしまっているけれど、しんちゃんはしんちゃんです。

「お墓の中ってどんな感じ？」

しんちゃんが首を仰向かせます。こきりと骨の音がして、もとに戻らなくなってしまいました。

「わたたた」

二人で大あわてで首をもとに戻しました。

「むずかしいことばっかし聞くなよ。首がとれちゃう」

「ごめん」

「あ、あれに似てるかも。押入れの中。俺、父ちゃんに叱られて、よく入れられるんだ。真っ暗でこわいけど、ふとんがつまってるからなんだか気持ちよくて、いっつも寝ちゃうんだよ。ま、そういう感じ」

「お腹はすかないの」

「ぜんぜんすかない」食いしん坊のしんちゃんは、初めて寂しそうな顔をしました。

「明日、俺のおそなえまんじゅう持ってきてやるよ」

「いらない」

かして。

「ねぇ、一人でさびしくない」

私が聞くと、しんちゃんがまた夜空を見上げます。今度は慎重に、ゆっくり首を動

「お、満月だ」

「おだんごみたいだね」

しばらく二人で月を眺めていました。まんまるいきれいな月でした。それっきり答えを聞くのを忘れてしまいました。しんちゃんも何も答えませんでした。きっと、答えるのが嫌だったのか、答えるのを忘れてしまったか、どちらかです。

「なぁ、明日はどこ行く」

帰り道です。息をはずませて自転車をこぎながら、しんちゃんが言います。私はじっとしんちゃんの着物のえりから這い出てきた蛆虫《うじむし》を見ていました。いつもなら悲鳴をあげてしまうところですが、蛆虫がしんちゃんのうなじを上り、耳の穴に入りこもうとするまで眺め続けていました。蛆虫を手でつまんで捨てたのは、あとにも先にも、この時だけです。

「遠慮すんなって」

なるべく明るい声で私は言いました。

「コスモスのお花畑を見に行こうよ」

そんなのつまんない、と文句を言うに決まってる。そう思いながら言ってみたのですが、

「あ、いいね。コスモス」

しんちゃん、お墓の中で、少し性格が変わったみたい。

帰りは近道をしました。ちびり坂をいっきに駆けおります。

「ひゃっほ〜」しんちゃんが叫びます。

「ふわぁ〜」私も。

三十年たったいまでも思います。あれ以上素敵なジェットコースターに乗ったことはないって。ぜったい自転車に乗れるようになろう、怖いのか嬉しいのか自分でもわからない悲鳴をあげながら、私はそう決めました。

「自転車、ちゃんと練習しろよ」

「がってんしょうたくん」

坂の下の曲がり角で、しんちゃんがちぎれるほど手を振っています。私もいっしょうけんめい振り返しました。しんちゃんの右手が心配です。だって本当にちぎれそうだったから。

「もうやめなよ」と言いかけたとき、しんちゃんはくるりと背中を見せて自転車に乗り、ふいっと曲がり角の向こうに消えました。

追いかけて、後ろ姿を見送ろうかと思ったけれど、やめました。いくらしんちゃんでも、ちびり坂を最後まで自転車で登れるはずがありません。意地っぱりなしんちゃんは、自転車を歩いて押して登るところを、私にはぜったい見られたくないはずだから。

でも追いかければよかった。

あとになって、何度もそう思いました。

次の日、私は母にないしょで、物置にあったいとこの古い小さな自転車をひっぱり出して、練習をはじめました。誰か後ろを押してくれる人がいれば上達が早いのだろうけど、私には誰もいないから、一人でころんで、一人で立って、またころんで。

乗れるようになったのは、突然。

日暮れ近くでした。倒れそうになるのをけんめいにこらえて、手足をふんばっていたら、急に体のまわりの重力が消えてしまったように私と自転車が走りはじめたのです。

そのかわり、体中にすり傷。母からは大目玉。

その夜は、ふとんの中でどきどきして、坂から下りてくる自転車の音を待ちました。しんちゃんには悪いけど、臭いがわからないように鼻の穴へメンソレータムを塗って。自転車に乗れるようになったといっても、まだ停まり方がわからないから、ぶっつけ本番です。

でも、いつまで待ってもしんちゃんは来ませんでした。だんだん眠くなってきて、まぶたの上にもメンソレータムを塗ったのですが、結局、翌朝、ひりひりとまぶたを腫らして目を覚ましました。

何日かたった午後、だいぶ上達した自転車に乗ってしんちゃんのお墓に行ってみました。

小さなお墓の前で、名前を呼んだり、「お～い、起きろ」「あそぼ」なんて声をかけてみたりしたのですが、何の返事もありません。お墓はお墓。

「もういないよ」

背中に声をかけられて、驚いて振り返ると、どこかのお婆さんが私を睨んでいました。

いたずらを見つかったような気持ちになって、あわてて自転車へ戻り、こぎ出してから気づきました。そのお婆さんが、坂田のおばあだったことに。

いまではあの地方も、みな火葬になったそうです。お墓も自動車部品工場になってしまったとか。高校を卒業してからの私は、結局、母も父も選ばず、一人で暮らしはじめましたから、風の便りに聞くばかりですが。

そういうわけで、私は自転車に乗れるようになりました。いまでは二人の子どもを前と後ろに乗せ、ハンドルの両側にスーパーの買い物袋をさげて走る。そんな芸当も朝飯前。しんちゃんのおかげです。あれから誰かの自転車の後ろに乗ったことは、一度もありません。

オートバイだけは別。夫はわが家の三匹の猫よりオートバイのほうが可愛いという人で、ときどき言いわけがわりに私をタンデムに誘うのです。

もういい年なんだからやめたら、と呆れ顔をしても、バイクでコーナーを攻めていると、生と死のはざまを垣間《かいま》見るような気がする、なんて偉そうなことを言って。なんにも知らないくせに。

「しっかりつかまってろよ」夫が言います。

答える私。

「がってんしょうたくん」

「なんだそりゃ」

「なんでもない」

それは言えません。約束だから。

解説

東雅夫

荻原浩氏には、ひょんなことから一方的な親近感を抱いていた。もうずいぶんと前になるが、ウェブ上に掲載されたあるインタビュー（現在は本の雑誌社刊『作家の読書道2』所収）の中で、御自身の読書遍歴を回顧して、次のように語っていらしたからだ。

——大学に進んでからはいかがですか。

荻原　ヒマだったので、結構読んだと思いますよ。自分の人生の中で、一番読んだ時期かもしれない。古本屋に行って、面白そうな、妙な本を探し出していました。大正、昭和初期くらいの伝奇小説が気に入って。アマゾンの奥地に獣人が住んでいる、とか、インドネシアの奥地に翼のある人間がいる、というどうしようもないホラ話なんですけれど。なかなか売っていないので、探すのが大変だったことを覚えています。『人外魔境』などの小栗虫太郎とか、夢野久作あたり。文学界において、主流ではない人たちです。

おや、と思ったのは、そこに掲げられていた書影が、小栗虫太郎『人外魔境』の桃源社版、それも初期の函《はこ》入り本ではなく、金森達《とおる》による真紅の装画が強烈なインパクトを与えるカバー装バージョンだったことだ（いきなりオタというか書痴な話題で恐縮です……）。

もしやと思い、プロフィールを参照して納得。荻原氏は私とほぼ同世代だったのである。

その書影を眺めた刹那《せつな》、私自身が学生時代、カバー装の『人外魔境』と苦心の末に巡り会ったときの胸のときめきが一気に蘇《よみがえ》ってきて、ただもう無邪気に共感を覚えたという次第。幼い頃から昆虫図鑑や恐竜図鑑が好きで、やがてE・R・バロウズの〈金星シリーズ〉などを経て、レイ・ブラッドベリやフレドリック・ブラウンの幻想的なショートショートを少年時代に愛読していたというくだりなども、世代的に実によく分かるお話であった。

もっとも、だからといって、私が著者の良き読者だったかというと、はなはだ怪しいと告白せざるを得ない。たまたま同じ雑誌（双葉社の「小説推理」）に連載をもっていた関係で、おりおりの掲載作に目を通しては「巧いなあ」と感心しきりであったものの、ちゃんと単行本で買ったのは、『噂《うわさ》』（二〇〇一）や『コールドゲーム』（二〇〇二）など、私自身の専門分野であるホラーや怪談のジャンルに急接近した長篇程度。それも周囲の評判を聞いて、あわてて後追いで読むという為体《ていたらく》で……著者の本領とするユーモア＆感動系の作品には、遺憾ながらあまり御縁のないまま現在にいたるというのが正直なところなのである。

さて、そんな私が珍しく本屋の店頭で目にとめるや即購入し、一気呵成《かせい》に読み耽《ふけ》ることになった荻原作品がある。

他でもない、二〇〇六年五月に新潮社から刊行された本書『押入れのちよ』だ。おかっぱ頭に真っ赤な振袖《ふりそで》姿の女の子が、押入れの上段から顔を覗《のぞ》かせているカバー写真と、「今ならこの格安物件、かわいい女の子が（14歳・ただし明治生まれ）ついてきます——。」という帯の卓抜な謳《うた》い文句を目にした瞬間、あ、これはきっとアレだな、あっち系の話に違いない！　と即断したのであった。

アレとか、あっち系とは、何か。

ジェントル・ゴースト・ストーリー――日本語に直せば「優霊物語」とでも称すべき、怪談文芸のサブジャンルである。

gentle ghostとは、生者に祟《たた》ったり脅かしたりする怨霊《おんりよう》悪霊の類とは異なり、残されたものへの愛着や未練、孤独や悲愁のあまり化けて出る心優しい幽霊といった意味合いの言葉で、由緒ある邸宅に幽霊がいるのは格式の内と考えるお国柄の英国などでは、古くから怪奇小説の一分野として親しまれてきた。

そもそも西欧における幽霊小説の嚆矢《こうし》とされるダニエル・デフォーの短篇「ヴィール夫人の幽霊」からして、急死した中年婦人の霊が、遠隔地に住む親友の家を訪問して云々《うんぬん》という典型的なジェントル・ゴースト・ストーリーであり、他にも文豪キップリングの「彼等」、キラ＝クーチ「一対の手」、マージョリ・ボウエン「色絵の皿」など、英国怪奇小説史を彩《いろど》る珠玉の名作は数多い。

また英国におとらず怪談文芸の幽暗な伝統を有する我が国でも、古くは上田秋成『雨月物語』の「浅茅《あさじ》が宿」「菊花の約《ちぎり》」から、室生犀星「後の日の童子」や橘外男《たちばなそとお》「逗子《ずし》物語」、三島由紀夫の「朝顔」、近年では浅田次郎「鉄道員《ぽっぽや》」や山田太一「異人たちとの夏」のように映画化されて広範な人気を博した作品もある。

興味深いことに、このジャンルには子供の霊が登場する話がたいそう多く、右に列挙した作品群にも子供がらみの哀話が少なくない。その典型というべき「一対の手」について、翻訳者の平井呈一が記した次の一節は、優霊物語そのものの魅力を語って余すところがないように思える。

手の幽霊の出る物語には、レ・ファニュの「白い手の怪」のような気味の悪いものが概して多いが、「一対の手」はいたいけな女の子の手であるところに、惻々《そくそく》とした深い哀感をそそるものがある。ただむやみやたらに恐怖や戦慄《せんりつ》を強調するのが怪談の能ではない。この輯《しゅう》には期せずして gentle ghost の作品が何編かあるが、人の心を打つ怪談の美しさは、かえってこういう作品にあるようである。

(創元推理文庫版『恐怖の愉《たの》しみ・下』)

ちなみに「一対の手」は、病死した少女の霊が、今は貸家となった自宅の台所に棲《す》みついていて、代々の借家人たちの汚れものを、健気《けなげ》にも深夜に洗っては片づけておくという泣かせる話で、その設定だけを取り出してみれば、「押入れのちよ」とも一脈通ずるところがある作品なのであった。

実は最初のうち、てっきり「押入れのちよ」も、「一対の手」タイプの話なのかと予想して読み進めていた私は、洗い物どころか、借家人の食べ残しのビーフジャーキーにかぶりついたり、カルピスを喉《のど》に詰まらせたりするヘンテコな幽霊の描写に、思わず爆笑させられたものだ。けれどその後に明かされる、彼女の意外な来歴には……まさに、おもろうて、やがて哀《かな》しき物語の機微に、短篇作家としての荻原氏の並々ならぬ手腕を思い知らされることになった。

そう、右の引用で平井翁《おう》も力説されているとおり、「ただむやみやたらに恐怖や戦慄を強調するのが怪談の能ではない」のである。この世ならぬ怪異な出来事を描いて、涙あり笑いあり、人の心を感動に打ち震わせる——それもまた、まぎれもない怪談やホラーの醍醐味《だいごみ》なのだということを、本書に収められた荻原作品の数々は雄弁に実証しているといって過言ではあるまい。

巻頭作の「お母さまのロシアのスープ」は、平成日本の日常に取材した他の収録作とは異なり、第二次大戦直後の満州を舞台とするロマネスクな味わいの異色作。この特色ある舞台設定といい、結末に待ち受けるショッキングな異形趣味といい、若き日の作者が読みあさったという小栗虫太郎や夢野久作の世界を、どことなく髣髴《ほうふつ》せしめるように感じられた。

続く「コール」と、巻末の「しんちゃんの自転車」は、「押入れのちよ」と並んで、優霊物語のお手本ともいえそうな、涙なくしては読めない佳品である。とはいえ、たんなるお涙頂戴《ちょうだい》に終始するのではなく、読み手をハッとさせる巧緻《こうち》な仕掛けが用意されている点に、作者の物語づくりに注ぐこだわりが看取されよう。

これに対して、現代的なバケネコ物語といった趣もある「老猫」は、淫靡《いんび》な官能をひそめた闇《やみ》の力に魅入られてゆく一家の姿を情容赦ない筆致で描いて、ことのほか印象深い。デビュー以来、ユーモアとペーソスにあふれる家族の形をさまざまに追求してきた作者なればこそ、それらの陰画《ネガ》ともいうべき本篇に、これだけの凄味《すごみ》を滲《にじ》ませることができたのではないかと忖度《そんたく》する。

これに続く「殺意のレシピ」「介護の鬼」「予期せぬ訪問者」の三篇も、やはりウラ、荻原ともいうべき意外な持ち味が、これでもかとばかり発揮された作品群である。ある種の極限状況に追い込まれた作中人物たちが繰りひろげるグロテスクな悲喜劇は、読者をして黒い哄笑《こうしょう》へと誘うに違いない。

残る一篇「木下闇《このしたやみ》」は、個人的に本書中の白眉《はくび》と考える逸品である。

かくれんぼの最中、幼い妹が失踪《しっそう》するという忌《い》まわしい事件の現場を、十五年ぶりに訪れたヒロイン。裏山との境界に立つ楠《くす》の巨木に見え隠れする、怪しいモノの気配……いわゆる神隠し譚《たん》の典型というべきシチュエーションから、作者はいたって現実的で、それゆえ救いのない真相を導き出してみせる。おそらくそれは、実際に起きた神隠し事件の多くにも当てはまる、無惨な現実なのであろう。本篇ではあえて背景に（古木の繁《しげ》みの裡《うち》に）ひそめられたジェントル・ゴースト・ストーリーとしての側面が、暗澹《あんたん》たる物語に一縷《いちる》の光明をもたらしている点も、底深い余韻を感じさせて秀逸である。

ちなみに本篇でことのほか魅力的に描かれる楠の巨樹は、やがて連作集『千年樹』（二〇〇七）において、さらに気宇壮大な物語を紡《つむ》ぎ出す幻想涵養《かんよう》装置として機能することとなったし、そこに宿っていた哀れな魂は、「押入れのちよ」のおかっぱ娘と融合（？）されて、近作長篇『愛《いと》しの座敷わらし』（二〇〇八）の世界に転生を遂げたとおぼしい。

怪しくも愛すべきウラ荻原作品に魅せられた読者のひとりとして、今後もこの系列の新作が書かれ続けることを期待せずにはいられないのである。

それから同世代の一員としては、小栗虫太郎ばりの怪獣小説なんてのも、是非！

（二〇〇八年十一月、文芸評論家、アンソロジスト）

この作品は平成十八年五月新潮社より刊行された。

荻原浩著

コールドゲーム

あいつが帰ってきた。復讐のために——。4年前の中2時代、イジメの標的だったトロ吉。クラスメートが一人また一人と襲われていく。

荻原浩著

噂

女子高生の口コミを利用した、香水の販売戦略のはずだった。だが、流された噂が現実となり、足首のない少女の遺体が発見された——。

荻原浩著

メリーゴーランド

再建ですか、この俺が？　あの超赤字テーマパークを、どうやって?!　平凡な地方公務員の孤軍奮闘を描く「宮仕え小説」の傑作誕生。

伊坂幸太郎著

オーデュボンの祈り

卓越したイメージ喚起力、洒脱な会話、気の利いた警句、抑えようのない才気がほとばしる！　伝説のデビュー作、待望の文庫化！

伊坂幸太郎著

ラッシュライフ

未来を決めるのは、神の恩寵か、偶然の連鎖か。リンクして並走する4つの人生にバラバラ死体が乱入。巧緻な騙し絵のごとき物語。

伊坂幸太郎著

重力ピエロ

ルールは越えられるか、世界は変えられるか。未知の感動をたたえて、発表時より読書界を圧倒した記念碑的名作、待望の文庫化！

石田衣良著

4TEEN【フォーティーン】

直木賞受賞

ぼくらはきっと空だって飛べる！　月島の街で成長する14歳の中学生4人組の、爽快でちょっと切ない青春ストーリー。直木賞受賞作。

石田衣良著

眠れぬ真珠

島清恋愛文学賞受賞

人生の後半に訪れた恋が、孤高の魂を持つ咲世子を少女に変える。恋人は17歳年下。情熱と抒情に彩られた、著者最高の恋愛小説。

いしいしんじ著

ぶらんこ乗り

ぶらんこが得意な、声を失った男の子。動物と話ができる、作り話の天才。もういない、私の弟。古びたノートに残された真実の物語。

いしいしんじ著

麦ふみクーツェ

坪田譲治文学賞受賞

音楽にとりつかれた祖父と素数にとりつかれた父。少年の人生のでたらめな悲喜劇を貫く圧倒的祝福の音楽、そして麦ふみの音。

いしいしんじ著

トリツカレ男

いろんなものに、どうしようもなくとりつかれてしまうジュゼッペが、無口な少女に恋をした。ピュアでまぶしいラブストーリー。

いしいしんじ著

東京夜話

愛と沈黙、真実とホラに彩られた東京の夜。下北沢、谷中、神保町、田町、銀座……18の街を舞台にした、幻のデビュー短篇集！

押《おし》入《い》れのちよ

新潮文庫　お－65－4

平成二十一年一月一日発行
平成二十一年五月三十日六刷

著者　荻《おぎ》原《わら》浩《ひろし》

発行者　佐藤隆信

発行所　株式会社 新潮社

郵便番号　一六二—八七一一
東京都新宿区矢来町七一
電話　編集部(〇三)三二六六—五四四〇
　　　読者係(〇三)三二六六—五一一一
http://www.shinchosha.co.jp

価格はカバーに表示してあります。

乱丁・落丁本は、ご面倒ですが小社読者係宛ご送付ください。送料小社負担にてお取替えいたします。

印刷・二光印刷株式会社　製本・憲専堂製本株式会社

ISBN978-4-10-123034-4 C0193